W9-BWG-116

Ein
Stern,
der in dein
Fenster schaut

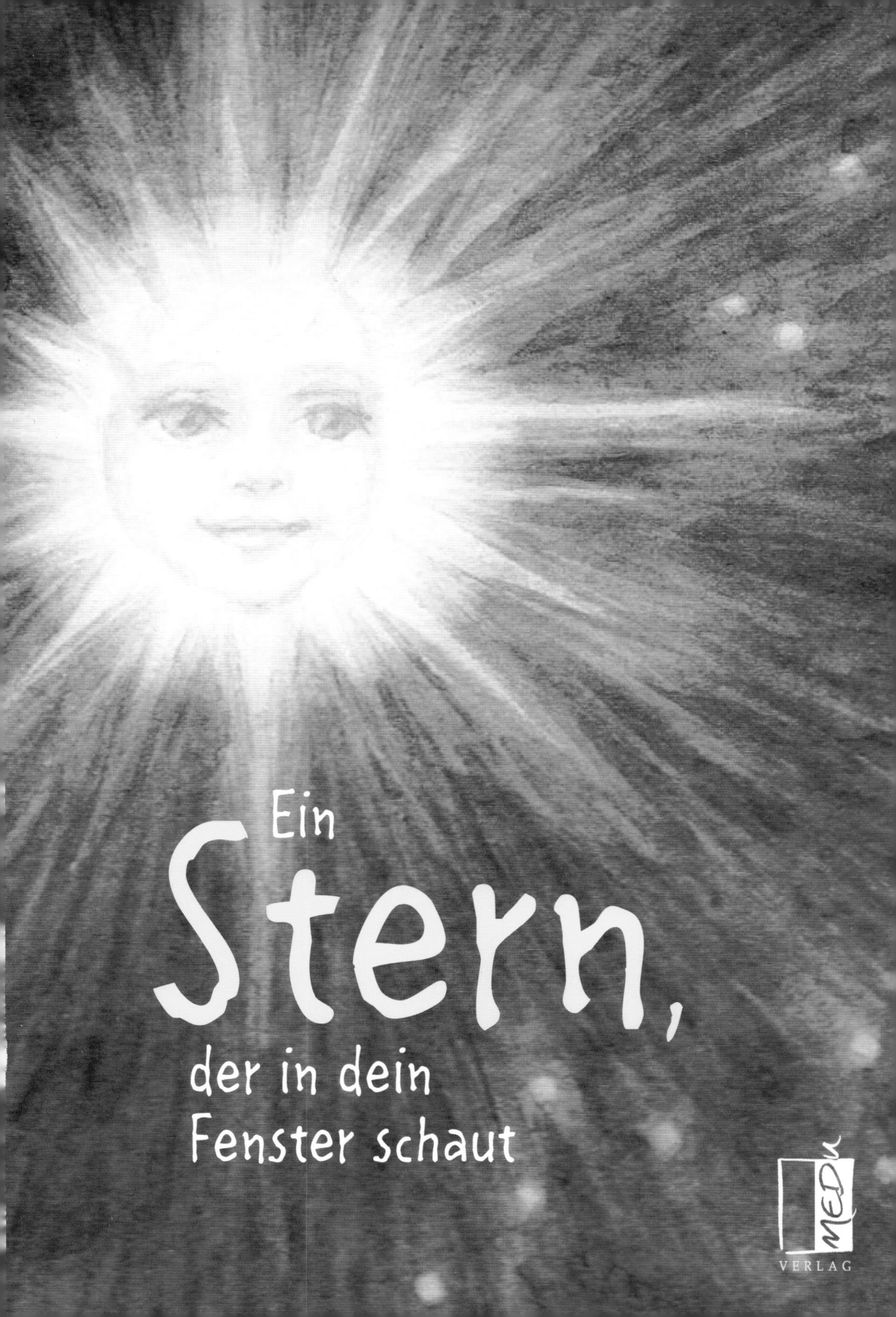

MEDU VERLAG

Bibliografische Information der Deutschen Nationalbibliothek
Die Deutsche Bibliothek verzeichnet diese Publikation in der
Deutschen Nationalbibliografie; detaillierte bibliografische Daten
sind im Internet über http://dnb.ddb.de abrufbar.

www.medu-verlag.de

VERLAG

Thomas Mac Pfeifer
Ein Stern, der in dein Fenster schaut
Kinderbuch
© 2016 MEDU Verlag
Dreieich bei Frankfurt/M.
Lektorat: Tanja Drechsel
Covermotiv: © Maria Berg
Umschlaggestaltung: im Verlag

Printed in EU

ISBN 978-3-944948-70-6

Gute-Nacht-Geschichten

gibt es auf der ganzen Welt

Inhalt

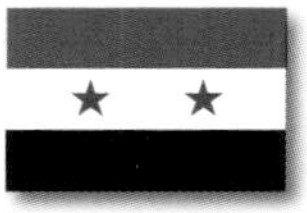

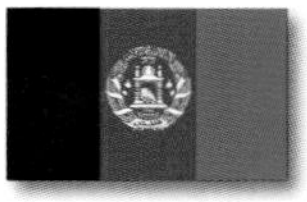

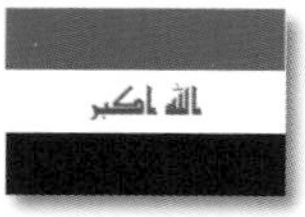

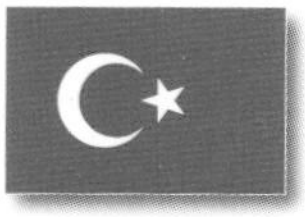

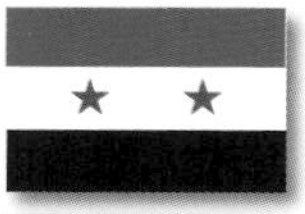

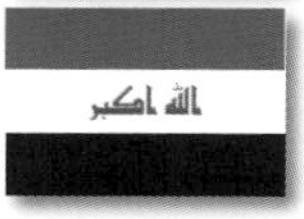

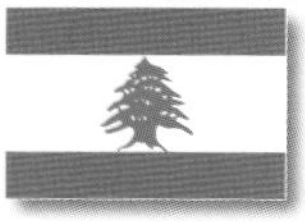

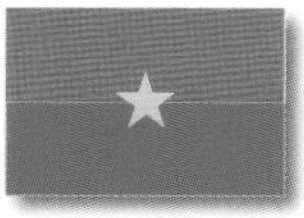

Deutsch

Arabisch

Englisch

Französisch

Paschto

Dari

Aramäisch

Mòoré

Ein Stern, der in dein Fenster schaut

„Kannst du auch nicht schlafen?", fragt Ali seine Schwester Fatima.

„Nein", antwortet sie, „ich liege schon eine Stunde wach im Bett."

„Woher weißt du, dass es eine Stunde gewesen ist?"

„Ich habe die Turmuhr vom Kirchturm schlagen gehört. Als wir ins Bett gegangen sind, hat sie achtmal geschlagen. Und jetzt neunmal."

النجم يطلُّ عليك من خلال نافذتك

"هل ما زلت لا تستطعين النوم بعدُ؟"،سأل علي أخته فاطمة. "لا"، أجابته، " ما زلت مستيقظة في السرير منذ أكثر من ساعة حتى الآن".

" كيف عرفت أنه مضى ساعة من الوقت حتى الآن؟، ، قال علي.

أجابت فاطمة: "سمعت ساعة البرج تدُّق أجراسها ثماني مرات حينما ذهبنا إلى الفراش، وها هي تدُّق للمرة التاسعة ".

A star that gazes through your window

"Can't you sleep either?" Ali asks his sister Fatima.

"No," she answers, "I've been lying awake in bed for an hour."

"How do you know that it has been an hour?"

"I heard the clock tower. When we went to bed, it chimed eight times. And now it has chimed nine times."

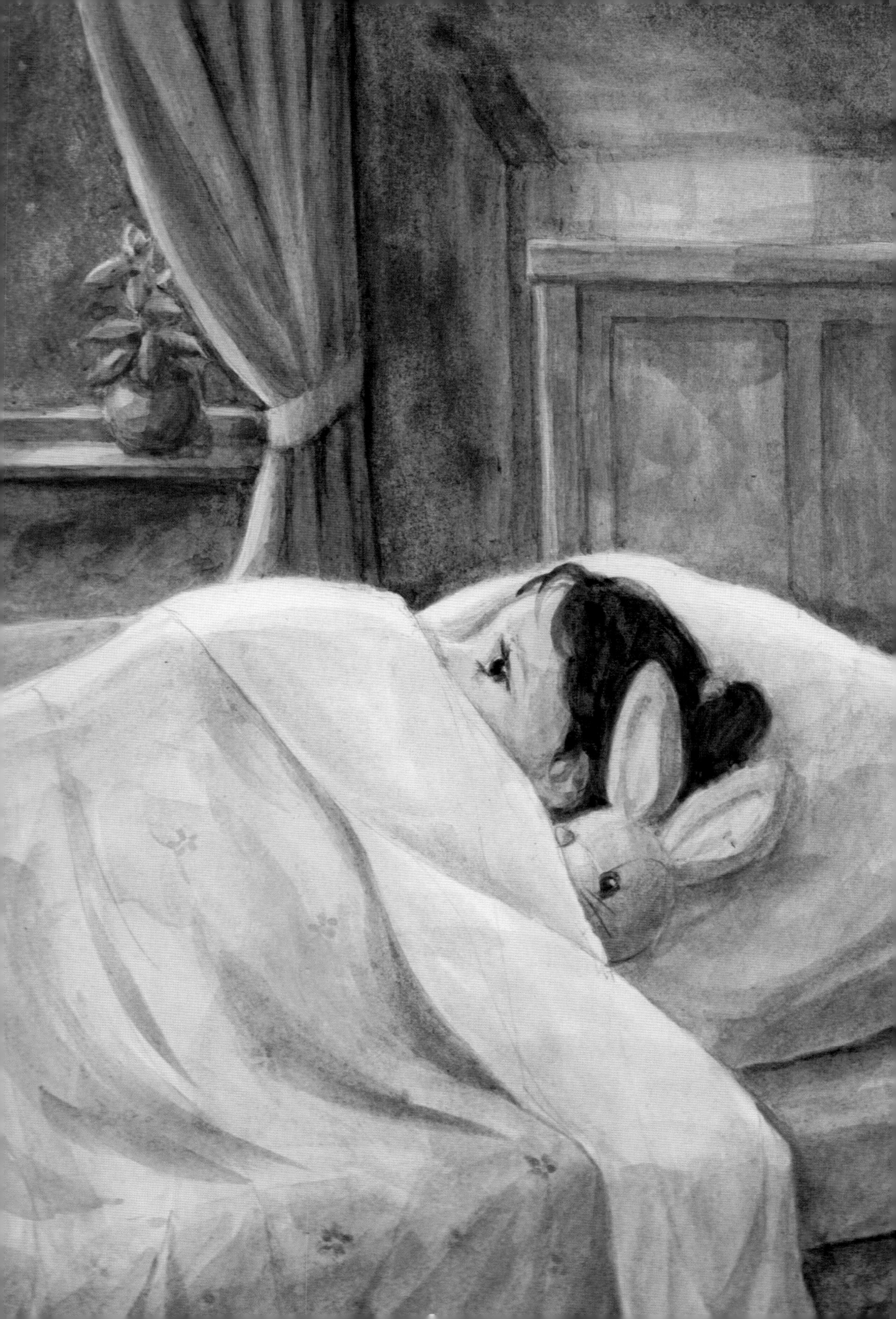

Une étoile qui regarde à travers ta fenêtre

„Tu ne peux pas non plus dormir?", demande Ali à sa soeur Fatima.

„Non", répond-elle, „ça fait déjà une heure que je suis éveillée dans mon lit"

„Comment sais-tu que cela fait une heure?"

„J'ai entendu l'horloge de la tour. Quand nous sommes allés au lit, elle a sonné huit fois. Et maintenant neuf fois."

هغه ستوری چی ستا د کرکی له لاری کوري

"آيا ته هم نه شی کولی ویده شي؟" علي له خپلی خور فاطمي څخه وپوښتل.
"نه" خور يي ځواب ورکړ، "له يو ساعته ډیر وخت پخپل ځای کی ویښه پرته يم."
"څنګه پوه شولي چی يو ساعت کيږي؟"
"د ساعت کرنګا مي واوریدله. کله چی د خوب ځای ته راغلو،
ساعت اته واري وکرنګيده او بيا نهه واري وکرنګيده."

9

„Mach doch einfach deine Augen zu, dann schläfst du bestimmt irgendwann ein", rät Ali seiner Schwester.

Aber diese fängt ganz leise an zu weinen.

„Was hast du denn, Fatima?", fragt ihr Bruder und legt ganz zärtlich seinen Arm um ihre Schultern.

„Immer wenn ich die Augen schließe, sehe ich so ganz schreckliche Bilder von uns und unseren Eltern."

قال لها علي: "ما عليك إلا أن تغمضي عينيك ــ ولسوف تنامين بالتأكيد بعد برهة قليلة".

لكن فاطمة أخذت تبكي صامتة.

فسألها علي: "ماذا حلَّ بك يا فاطمة؟"، وأحاط عنقها بذراعة بعطف.

أجابت فاطمة: "كلما أغمضت عينيَّ، أرى صورا مرعبة لنا و لوالدينا".

"Just close your eyes and then you will certainly go to sleep soon," Ali advises his sister.

But she quietly begins to cry.

"What's the problem Fatima?" asks her brother as he wraps his arm softly around her shoulders.

"Every time I close my eyes I see really horrible pictures of us and our parents."

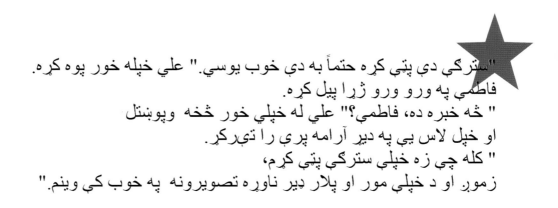

„Ferme donc les yeux et tu finiras par t'endormir", conseille Ali à sa soeur.

Mais celle-ci commence à pleurer tout bas.

„Qu'as-tu Fatima?", lui demande son frère, en mettant tendrement son bras autour de ses épaules.

„Dès que je ferme les yeux, je vois des images horribles de nous et de nos parents".

"سترګي دې پټي کړه حتماً به دې خوب يوسي." علي خپله خور پوه کړه.

فاطمي په ورو ورو ژړا پيل کړه.

" څه خبره ده، فاطمي؟" علي له خپلي خور څخه وپوښتل

او خپل لاس يي په دير آرامه پري را تېرکړ.

" کله چي زه خپلي سترګي پټي کړم،

زموږ او د خپلي مور او پلار دير ناوړه تصويرونه په خوب کي وينم."

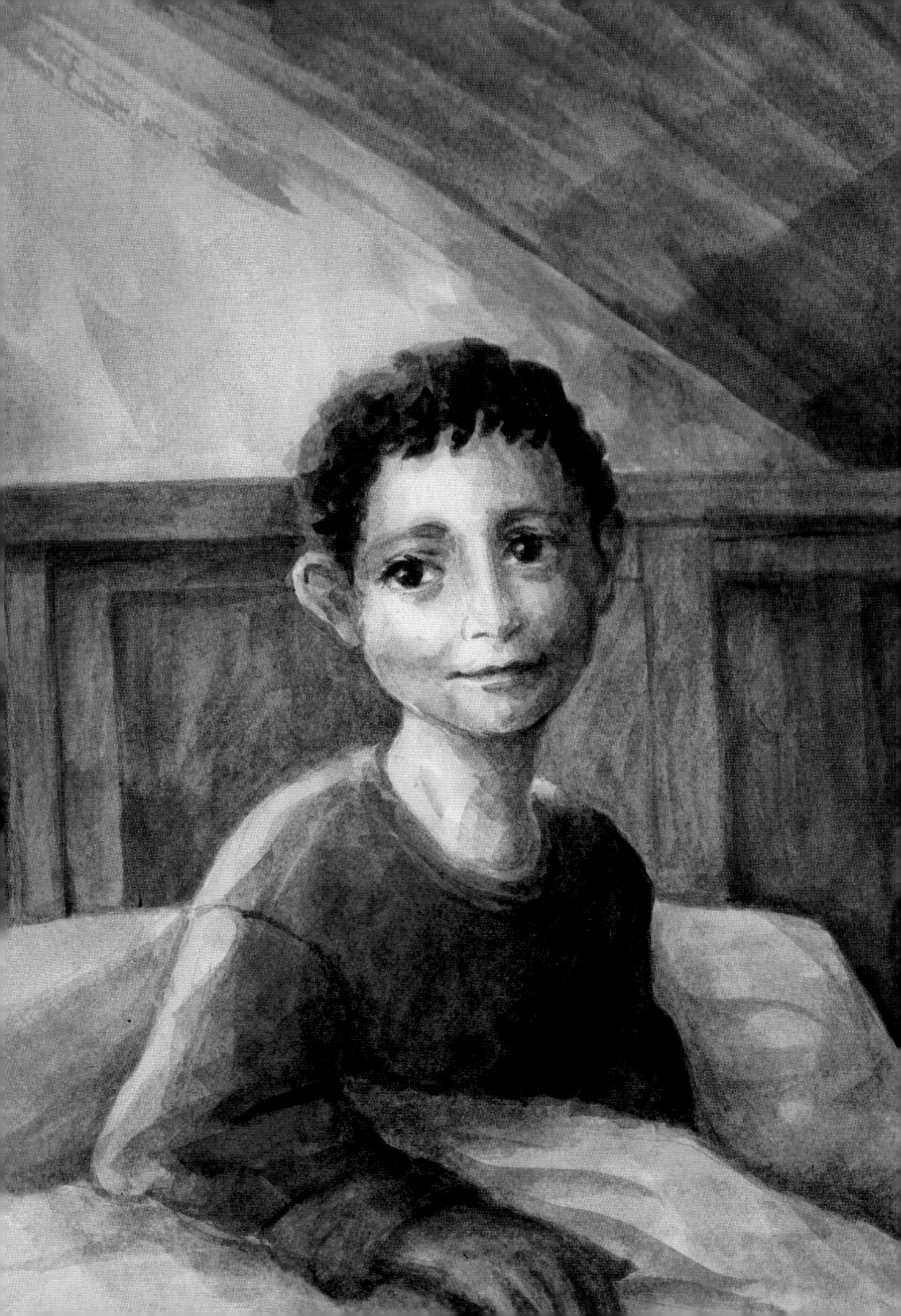

Ali wartet einen Moment. Dann sagt er: „Weine nicht, ich sehe auch diese furchtbaren Bilder, wenn ich meine Augen zumache."
„Aber ich kann doch nicht mit offenen Augen schlafen, ich bin doch kein Fisch", flüstert Fatima ihrem Bruder zu.
Doch der hat eine Idee: „Komm, lass uns aufstehen und zum Fenster gehen. Da schauen wir mal hinaus, bis wir wieder auf andere Gedanken gekommen sind. Bestimmt verschwinden dann die traurigen Gedanken."
Fatima und Ali stehen auf und gehen zum Fenster.

صمت علي برهة ثم قال لها: "لا تبكي يا فاطمة، فأنا أيضا أرى صورا مرعبة كلما أغمضت عينيَّ".

"لكني لا أستطيع النوم وعيناي مفتوحتان ، فأنا لست سمكة"، همست فاطمة لأخيها. وطرأت لعلي فكرة، فقال لها:

"هيا ننهض من الفراش ونذهب إلى النافذة وننظر إلى الخارج فلعلنا نهتدي إلى أفكار أخرى".

نهضت فاطمة ونهض معها علي وذهبا إلى النافذة. ونظرا إلى خارج النافذه

Ali waits a moment and then he says, "Don't cry. I can see those terrible pictures too when I close my eyes."
"But I can't sleep with my eyes open, I'm not a fish," whispers Fatima to her brother.
Then he has an idea: "Come on! Let's get up and go to the window. We can look outside to take our minds off things."
Fatima and Ali get out of bed and go to the window.

Ali attend un moment. Puis il dit: „Ne pleure pas, je vois aussi ces affreuses images quand je ferme les yeux.“

„Mais je ne peux quand même pas dormir les yeux ouverts. Je ne suis pas un poisson“, chuchote Fatima à son frère.

Mais il a une idée: „Viens. Levons-nous et allons à la fenêtre. Nous regarderons dehors jusqu'à ce que nous ayons d'autres pensées.“

Fatima et Ali se lèvent et vont jusqu'à la fenêtre.

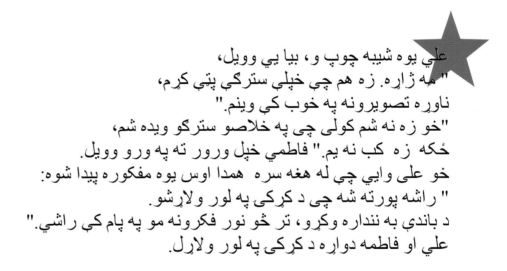

علي يوه شيبه چوپ و، بيا يي وويل،
"مه ژاړه. زه هم چي خپلي سترگي پټي کرم،
ناوړه تصويرونه په خوب کي وينم."
"خو زه نه شم کولی چی په خلاصو سترگو ويده شم،
څکه زه کب نه يم." فاطمي خپل ورور ته په ورو وويل.
خو علی وايي چي له هغه سره همدا اوس يوه مفکوره پيدا شوه:
" راشه پورته شه چی د کړکی په لور ولاړشو.
د باندي به نندار ه وکړو، تر څو نور فکرونه مو په پام کي راشي."
علي او فاطمه دواړه د کړکی په لور ولاړل.

Draußen ist es dunkle Nacht. Nur am Himmel glitzern Tausende von Sternen.

„Oh, wie schön", rutscht es Fatima heraus. „So viele Sterne schauen auf uns herab und alle sind gleich hell …"

„Bis auf den einen", unterbricht Ali seine Schwester. „Siehst du diesen dort oben ganz rechts? Der ist der hellste. Den wollen wir jetzt zu unserem Freund machen."

„Wie soll das gehen?", will die kleine Schwester wissen.

„Na, wir geben ihm einen Namen und rufen zu ihm hinauf: ‚Sei immer bei uns, lieber Stern, damit wir keine Angst mehr haben. Wir wollen, dass du unser Freund bist!'"

فلاحظا أن الليل مظلم . ولم يكن هناك سوى آلاف النجوم المتألّقة في السماء. "أواه، كم هو لطيف هذا المنظر"، تمتمت فاطمة. "الكثير من النجوم تطلُّ علينا وكلها متماثلة في إشراقها ...".

وقاطع علي أخته بالقول "فيما عدا نجم وحيد هناك". "ألا ترينَّ هناك نجم إلى أقصى اليمين. فهو النجم الأكثر إشراقا" فدعينا نجعل هذا النجم صديقا لنا الآن".

"كيف ينبغي أن نفعل هذا؟"، سألت الأخت الصغيرة.

أجاب علي "حسنا، نطلق عليه اسما من الأسماء ونناديه به ونقول له: "نجمنا العزيز: كن دائما معنا حتى لا نعُد نشعر بالخوف. نرجو منك أن تكون صديقا لنا!"

Outside it is a dark night. Only the sky is alight with thousands of glittering stars.

"Oh, how beautiful," says Fatima. "So many stars are looking down on us, each one as bright as the other."

"Except for one," Ali interrupts his sister. "Do you see the one at the top on the right? That is the brightest of all. We will make that one our friend."

"How will we do that?" his little sister asks.

"Well, we will give it a name and call up to it: 'Stay with us always dear star, so that we are not frightened anymore. We want you to be our friend.'"

Dehors, c'est la nuit noire. Dans le ciel brillent des milliers d'étoiles.
„Oh, comme c'est beau" s'exclame Fatima. „Tant d'étoiles nous
regardent et elles sont toutes aussi lumineuses …"
„Sauf celle-là", l'interrompt Ali. „Vois-tu celle qui est tout en haut
à droite? C'est la plus brillante. Nous allons en faire notre amie."
„Comment est-ce possible?", veut savoir la petite soeur.
„Eh bien, nous lui donnons un nom et nous lui crions: „Reste toujours auprès de nous, chère étoile, pour que nous n'ayons plus
peur. Nous voulons que tu sois notre amie!""

د باندې ډېره تیاره وه. یوازې آسمان کښې په زرګونو ستوري ځلیدل.
فاطمې وویل: "اوه، څومره ښایسته،"
"څومره ډیر ستوري پر مونږ باندې په یو ډول روښنانه ځلیږي."
"له یوه ستوري پرته، علي خپلي خور ته وویل.
"آیا ته هغه ستورى ویني چي په آسمان کي په ښيې لور ته تر ټولو لري دى.
هغه تر ټولو روښنانه ستورى دى.
مونږ به د هغه سره ملګرتیا وکړو."
"دا څنګه کیداى شي؟" وړه خور یي غواړي چي پوه شي.
"راشه چي یو نوم ور باندې کیږدو او غږ ورته وکړو:
تل له مونږ سره اوسیږه زمونږ ښکلیه ستوریه!
ترڅو مونږه ونه بیریږو. مونږ غواړو چي ته زمونږ ملګرى شي!"

16

Fatima findet die Idee toll. „Ich würde ihn am liebsten ‚La-La-La'
nennen. Klingt doch gut, oder?"
Ali zögert noch und sagt: „Ich würde ihn doch lieber ‚Lu-Lu-Lu'
rufen.
Jetzt wischt sich Fatima ihre kleine Träne weg und schlägt vor:
„Weil es doch unser gemeinsamer Freund ist, soll er so heißen,
wie wir es uns gewünscht haben: Wir nennen ihn einfach ‚Lu-La-
Lu-La-Lu'."
Beide Kinder umarmen sich und singen ganz leise vor sich hin, ein
Liedchen, das ihnen gerade dazu eingefallen ist: „Lu-La-Lu-La-Lu,
Lu-La-Lu-La-Lu".

أثارت هذه الفكرة إعجاب فاطمة فقالت " أفضل أن أسميه 'لا-لا-لا'. ألا ترى يا
علي أن هذا الأسم يبدو جيدا، أليس كذلك؟".

تردَّد علي قليلا ثم قال: أنا أفضل أن أسميه 'لو-لو-لو'.

مسحت فاطمة دمعة صغيرة على خدِّها واقترحت : "لأن النجم صديقنا
المشترك، فلنا أن نسميه كما نشاء ونستطيع أن نسميه ببساطة "لو-لا-لو-لا-لو".
عندها تعانق الطفلان وأخذا يغنيان معا بلطف : "لو-لا-لو-لا-لو،
لو-لا-لو-لا-لو".

Fatima likes the idea. "Most of all I'd like to call it La-La-La. That
sounds good, doesn't it?"
Ali pauses and then says, "I would rather call it ‚Lu-Lu-Lu'"
Straightaway Fatima wipes her tears away and suggests: "Because it's friends with both of us, it should be named the way we
both wanted: we'll call it 'Lu-La-Lu-La-Lu'."
The children hug each other and sing very quietly to themselves
a song which crosses both their minds: "Lu-La-Lu-La-Lu, Lu-La-Lu-
La-Lu."

17

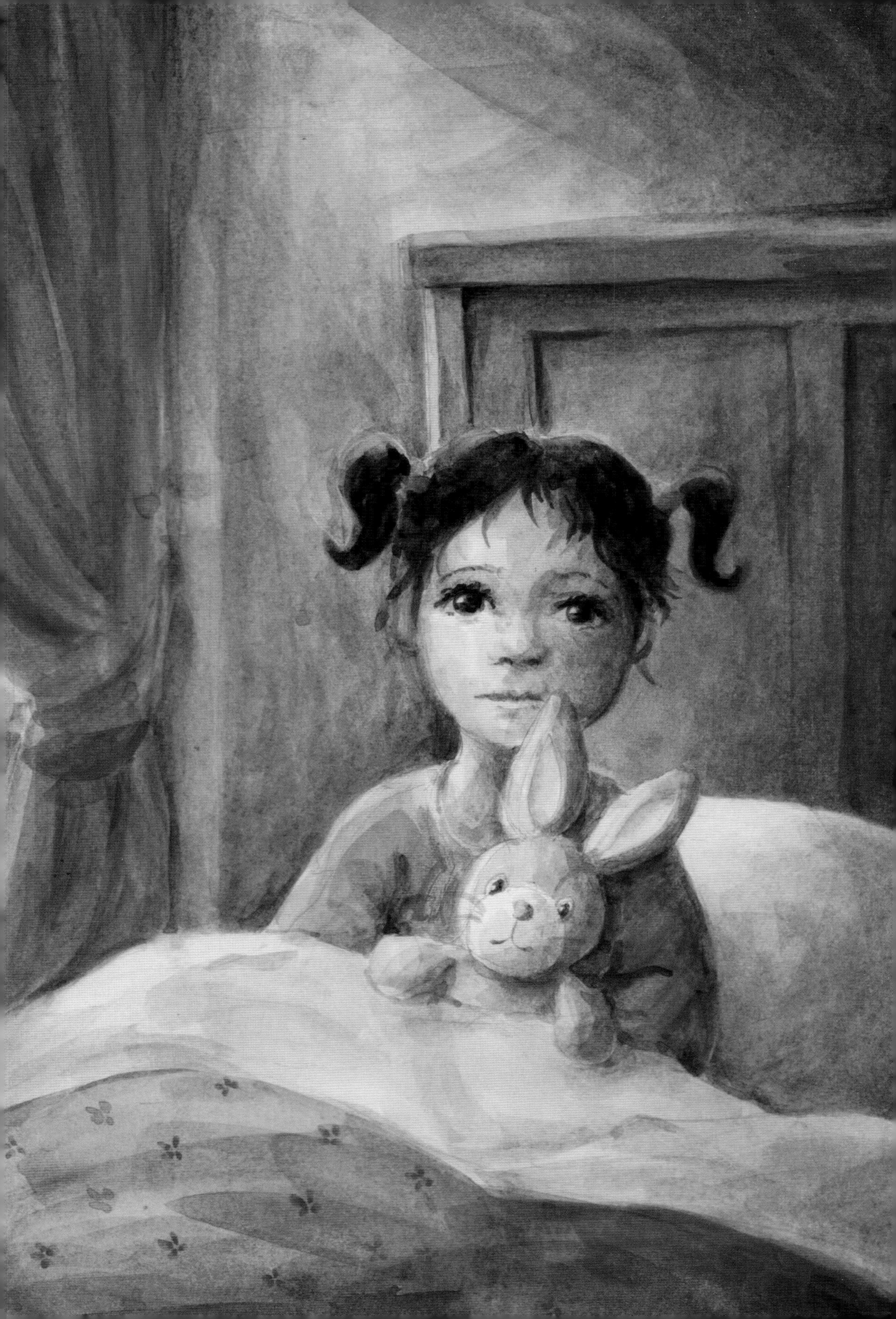

Fatima trouve l'idée géniale. „J'aimerais l'appeler ‚La-La-La'. Cela sonne bien, non?"

Ali hésite et dit: „Je préférerais l'appeler ‚Lu-Lu-Lu'."

Fatima essuie à présent ses larmes et propose: „Comme c'est notre amie commune, elle doit s'appeler comme nous le souhaitons tous les deux: nous l'appellerons tout simplement „Lu-La-Lu-La-Lu".

Les deux enfants se serrent dans les bras et chantent doucement une petite chanson qui leur est justement venue à l'esprit: „Lu-La-Lu-La-Lu, Lu-La-Lu-La-Lu".

فاطمه دا مفکوره ډیره ښه ګڼي.

"زه غواړم چي د لا-لا-لا په نامه یي یاد کړم. څنګه! آیا ښکلی نوم ندی؟"

خو علي په سوچ کي شو او ویي ویل،

"خو زه غواړم د لو-لو-لو په نامه یي یاد کړم."

فاطمي خپلي اوښکي پاکي کړي او ویي ویل:

"پدي چي دا زمونږ د دواړو ملګري دی،

پر زړه پوري نومونو یي یادولي شو.

کیدای شي چي د لو-لا-لو-لا-لو په نامه یي یاد کړو.

"دواړو ماشومانو یو بل په غیږ کي ونیول

او ډیره ښکلي نغمه یي زمزمه کړه چي هغه شیبه یي سوچ کي راغله:

"لو-لا-لو-لا-لو، لو-لا-لو-لا-لو."

نو یي کړکی واژه کړه او خپل ستوري ته یي غږ کړ:

"تا ته وایو لو-لا-لو-لا-لو، مونږ له تا سره ډیره مینه لرو.

آیا ته زمونږ سره ملګری کیږی؟"

19

Dann machen sie das Fenster ganz weit auf und rufen ihrem Stern zu: „Hei du, Lu-La-Lu-La-Lu, wir haben dich sehr lieb. Willst du unser Freund sein?"
Und wisst ihr, was plötzlich passiert? Der helle Stern am Himmel fängt an zu blinken. Ja, er geht aus und an und wieder aus und wieder an. So, als wenn ein Mensch mit seinen Augen zwinkert.
„Juhu", rufen die Kinder. „Er hat Ja gesagt. Er hat uns zugezwinkert. Jetzt können wir bestimmt ganz schön einschlafen."

ثم فتحا النافذة و ناديا النجم : " يا أيها النجم لو-لا-لو-لا-لو، نحن نحبك كثيرا. هل تريد أن تكون صديقنا؟"

هل تعرف ماذا حدث فجأة؟ لقد أطلق النجم الساطع في السماء وميضا. ورد قائلا: "نعم، أريد أن أكون صديقكما" وأخذ يختفي ويومض من جديد ثم يختفي ويومض من جديد كما لو أن شخصا يغمز بعينيه.

" يوهو"، صاح الطفلان . " لقد قال لنا نعم. وغمزنا . يمكننا الآن أن ننام نوما هنيئا بالتأكيد".

Then they open the window wide and call to their star: "Hey, you, Lu-La-Lu-La-Lu, we love you very much. Do you want to be our friend?"
And, do you know what suddenly happens? The bright star up in heaven begins to twinkle. Yes, it twinkles off and on, and again, off, and then on again. It is as if someone is winking with his eyes.
"Hooray," the children shout. "It said yes! It winked to us. Now we can certainly get to sleep."

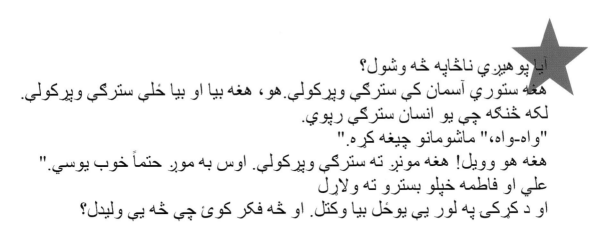

Ils ouvrent ensuite en grand la fenêtre et crient à l'étoile: „Hé, toi, Lu-La-Lu-La-Lu, nous t'aimons beaucoup. Veux-tu être notre amie?"

Et savez-vous ce qui se passe tout à coup? L'étoile lumineuse dans le ciel commence à clignoter. Oui, elle s'éteint et elle s'allume et elle recommence. C'était comme si quelqu'un clignait des yeux.

„Youhou", crient les enfants. „Elle a dit ‚oui'. Elle a cligné des yeux. Maintenant, nous pouvons certainement nous endormir".

آیا پوهېږي ناخپه څه وشول؟

هغه ستوري آسمان کې سترگي وپړکولي. هو، هغه بیا او بیا خلي سترگي وپړکولي. لکه څنګه چي یو انسان سترگي رپوي.

"واه-واه،" ماشومانو چیغه کړه."

هغه هو وویل! هغه مونږ ته سترگي وپړکولي. اوس به مورږ حتماً خوب یوسي."

علي او فاطمه خپلو بسترو ته ولاړل

او د کړکی په لور یي یوځل بیا وکتل. او څه فکر کوئ چي څه یي ولیدل؟

21

Ali und Fatima legen sich wieder zurück in ihre Bettchen und blicken noch einmal zum Fenster. Und was sehen sie wohl?
„Ich sehe einen Stern, der in mein Fenster schaut", sagt Fatima.
„Und den sehe ich auch", murmelt Ali. Er ist der hellste Stern am Himmel und er ist – wirklich und wahrhaftig – ihr Freund Lu-La-Lu-La-Lu.
Als Ali und Fatima jetzt ihre Augen schließen, träumen sie davon, wie ihr Lieblingsstern ins Fenster schaut und ihnen zuzwinkert.
Und schon sind beide Kinder eingeschlafen ...

Schlaft auch ihr gut, liebe Kinder!

واستلقى علي وفاطمة من جديد في فراشهما ومن ثم نظرا صوب النافذة. فماذا رأيا؟

قالت فاطمة: "أرى نجما يطلُّ من خلال نافذتي". وتمتم علي قائلا: "وأنا أراه أيضا" وتابعت القول إنه النجم الأكثر إشراقا في السماء ـ أنه بالفعل وبحق صديقها لو-لا-لو-لا-لو.

وما أن أغمض علي وفاطمة عيونهما الآن، فقد حلما كيف أن نجمهما المحبوب أطلّ عليهما من خلال النافذة وغمزهما.

وبات الطفلان نائمين بالفعل.

Ali and Fatima go back to their little beds and look once again towards the window. And, what do you think they see?
"I can see a star that is looking through my window," says Fatima.
"And I can see it, too," murmurs Ali. It is the brightest star in heaven and it is – really and truly – their friend Lu-La-Lu-La-Lu.
As Ali and Fatima close their eyes they dream of their favourite star, which looks through the window and winks to them.
But both children have already fallen asleep ...

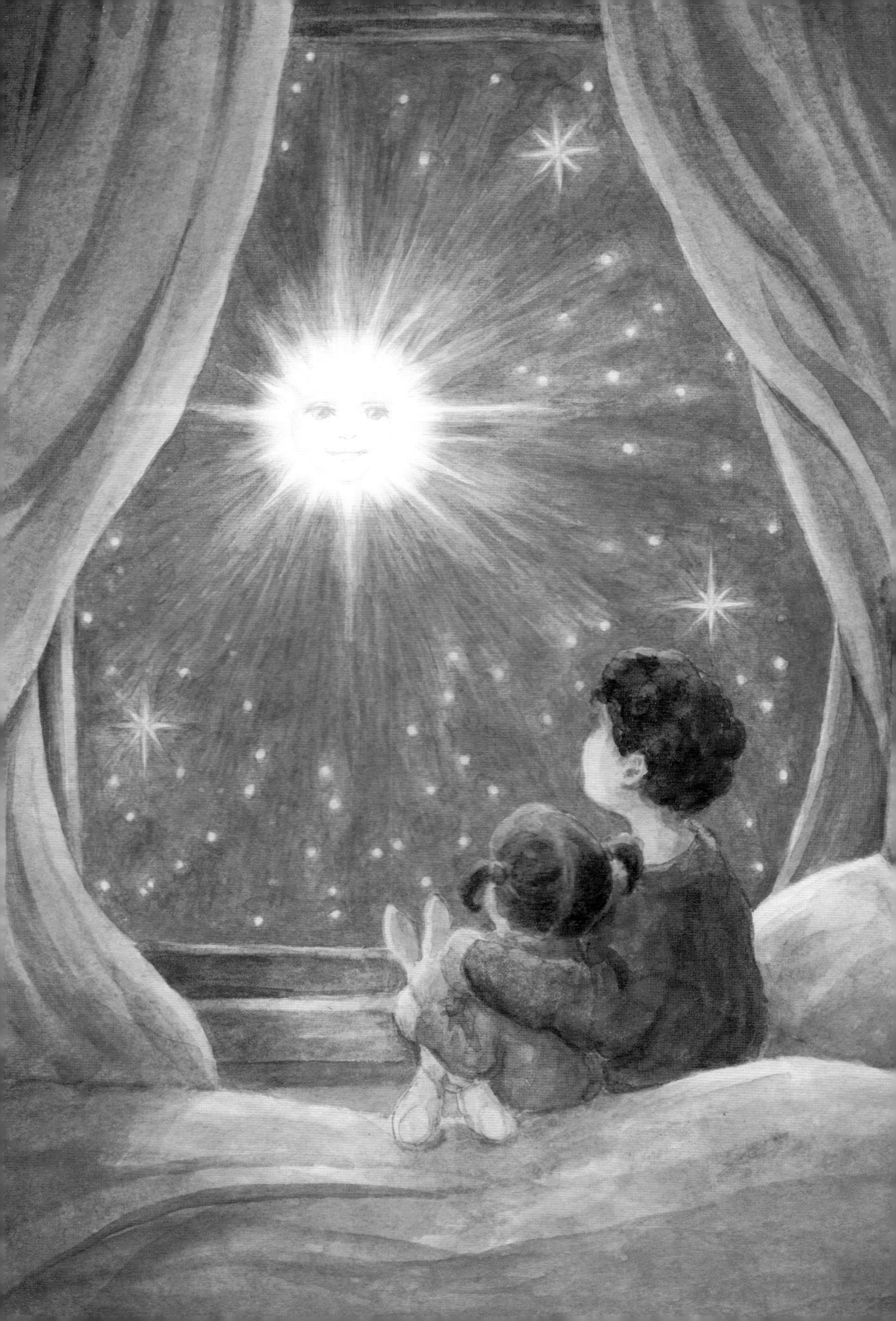

Ali et Fatima se rallongent dans leurs petits lits et jettent encore un regard vers la fenêtre. Et que voient-ils?

„Je vois une étoile qui regarde à travers ma fenêtre", dit Fatima.

„Je la vois aussi", murmure Ali. C'est l'étoile la plus brillante dans le ciel et c'est – vraiment et réellement – leur amie Lu-La-Lu-La-Lu.

En fermant les yeux, Ali et Fatima rêvent de leur étoile favorite qui les regarde et leur lance un clin d'oeil.

Et bientôt les deux enfants s'endorment …

"زه یو ستوری وینم چې زمونږ د کړکی په لور ګوري،" فاطمې وویل.

"زه یې هم لیدلی شم،" علي په آرامه غږیدو. دا په آسمان کې تر ټولورو ښانه ستوری دی، او د دوی ریښتینی او تل ملګری دی - لو-لا- لو-لا- لو.

څنګه چې علي او فاطمې سترګې پټې کړ ه غوی په خوب وینې چې د دوی د خوښنې ستوری د هغوی د کړکی په لور ګوري او دوی ته سترګکونه وهي. بیا دواړه ماشومان ویده شول …

الصداقة

كان هناك صديقان يعيشان في قرية صغيرة قريبة من دمشق.

يدعيان هاني و رامي،

وكانا صديقان منذ الطفولة يدرسان في مدرسة واحدة مع بعضهما البعض،

وكانت هذه المدرسة بعيدة عن مكان سكنهما ،

وكل يوم كان عليهما أن يمشيا طويلاً

و يعبرا النهر ويمرا فوق مناطق رملية ليتمكنوا من الذهاب إلى المدرسة معاً،

وفي إحدى الأيام الشتوية الماطرة استيقظا باكرا و ذهبا إلى المدرسة كالمعتاد ،

Die Freundschaft

Es waren einmal zwei gute Freunde, Hani und Rami. Sie lebten in dem kleinen Dorf Malula in der Nähe von Damaskus. Sie waren schon als Kinder befreundet und gingen in dieselbe Schule. Diese war weit entfernt von Malula. Die beiden Jungen mussten jeden Morgen einen langen Weg gehen, der sie durch Gewässer und Gestein führte. Auch an kalten Wintertagen, bei Regen und Schnee, gingen sie jeden Morgen zur Schule.

Friendship

Once upon a time, there were two good friends, Hani and Rami. They lived in the village of Malula near Damaskus. They had been friends since they were very young and they went to school together. The school was far away from Malula. The boys had to go a long way every morning, their path leading them through rivers and past rocks. Even on cold winter days, in rain and snow, they went to school every single morning.

25

وفي طريقهما كانا يتناقشان حول ما أخذا في درس الرياضيات ،
واختلفا في وجهات النظر،
مما أدى إلى حدوث نقاشات حادة بينهما حتى وصلت إلى تبادل الشتائم .
وفي حالة غضب شديد صفع هاني رامي على وجهه ،
فانصدم رامي من صديقه وغضب في داخله وكتب على الرمال التي كان يمشي عليها
"اليوم أعز أصدقائي صفعني على وجهي"

An einem Tag hatten sie auf ihrem Schulweg plötzlich einen Streit über eine Rechenaufgabe und ihre Lösung. Sie stritten immer heftiger und begannen, sich gegenseitig zu beschimpfen.
Hani war so sauer, dass er Rami eine Ohrfeige gab. Das hatte Rami von seinem Freund nicht erwartet. Er war sehr enttäuscht. Er war so wütend, dass er mit einem Stock in den Sand am Wegrand schrieb: „Mein bester Freund hat mich heute geschlagen".

One day, on their way to school, they suddenly started quarrelling over a maths problem and its solution. They quarrelled more and more fiercely and started to insult one another.
Hani was so cross that he slapped Rami in the face. Rami hadn't expected that from his friend. He was deeply disappointed. And he was so angry that he picked up a stick and wrote in the sand at the wayside: "My best friend hit me today".

ثم أكملا طريقهما نحو المدرسة بصمت واضح ،

وفي أثناء الطريق وصلا إلى النهر الذي كان يفيض وكانا عليهما عبوره ،سار رامي نحو النهر
وهو يعلم بأنه لا يجيد السباحة .....

بدأ يغرق ، ومع قوة تدفق المياه والفيضان شعر كأن النهر سيأخذه بلا رجعة .

عندما رأى هاني صديقه يغرق قفز إلى النهر بدون تفكير لينقذه،

واستطاع سحبه ومساعدته على إستعادة أنفاسه بشكل طبيعي ،

وعندما تعافى رامي ونهض كتب في طريقه على صخرة

"اليوم أعز أصدقائي أنقذ حياتي ".

فتعجب هاني

وسأل صديقه رامي : لماذاكتبت على الرمل عندما صفعتك؟

و كتبت على الصخرة عندما أنقذت حياتك ؟

أجاب رامي : علينا يا صديقي أن ننسى الأخطاء التي يقوم بها أحدنا تجاه الآخر ،

Schweigend gingen die beiden Jungen den Weg zur Schule weiter. Plötzlich kamen sie an einem Fluss vorbei, den sie überqueren
mussten. Rami konnte jedoch nicht schwimmen und drohte zu
ertrinken. Hani sah seinen Freund im Wasser um sein Leben kämp-
fen. Er sprang hinein und zog ihn hinaus. Dann half er ihm, wieder
zu Atem zu kommen.

Nachdem Rami gerettet und wieder bei Bewusstsein war, kritzelte
er auf einen Stein, dass sein bester Freund ihm heute das Leben
gerettet habe. Hani wunderte sich und fragte seinen Freund, warum er in den Sand geschrieben habe, dass er geschlagen wurde und warum er in den Stein geritzt habe, dass er von seinem
Freund gerettet wurde. Dieser antwortete, dass man die Fehler
eines Menschen vergessen sollte. Deshalb schrieb er diesen Satz
in den Sand. Denn was im Sand steht, wird mit jedem Tag mehr
und mehr durch den Wind verweht und wird eines Tages vergess-
sen.

The boys continued on their way to school in silence. Suddenly, they arrived at a river that they had to cross. But Rami couldn't swim and almost drowned. Hani saw his friend fighting for his life in the water. He jumped into the river and pulled him out. Then he helped him to breathe again.

After Rami was rescued and became conscious again, he took a stone and carved into it that his best friend had saved his life today. Hani was surprised and asked his friend why he wrote in the sand that he was beaten, and why he carved into stone that he was saved by his friend. Rami answered that one should forget about the mistakes a person makes. That's why he wrote the sentence in the sand. Because what is written in sand will slowly be blown away by the wind and will one day be forgotten.

وقد كتبت على الرمل لأن الكلام سيمحى في أي وقت من الأوقات ،
لكن عندما يفعل الصديق شيئاً جيداً مع صديقه فيجب على الآخر أن يتذكره ويكتبه على الحجر
حتى يبقى محفوظاً للأبد.
عندها أحتضن هاني رامي وأكملا الطريق إلى المدرسة وكأن شيئاً لم يكن .

Jedoch wird eine gute Tat nie vergessen werden und immer im Herzen bleiben. Was in einen Stein geritzt ist, wird nie vergessen – wie eine gute Tat.

Danach umarmten sich die beiden Freunde und gingen den Weg weiter, als wäre nichts geschehen.

A good deed, however, will never be forgotten and will always stay in the heart. What is carved in stone will not be forgotten – just like a good deed.

After that, the friends embraced each other and continued on their way as if nothing had happened.

شجرة التوت

كان يا مكان في قديم الزمان ،كان هناك قرية جميلة جداً اسمها شلهومية تقع شمال شرقي سوريا ،
وكان في منتصف القرية شجرة توت في غاية الضخامة ,
يلعب الأولاد حولها ويتفيأ سكان القرية في ظلها أيام الصيف الحارة ،
ويأكلون من ثمارها الطازجة ،

Der Maulbeerbaum

Vor langer, langer Zeit gab es in dem kleinen Dorf Schalhumiea im Nordosten von Syrien einen großen Maulbeerbaum. Er stand inmitten des Dorfes. Die Kinder spielten immer an ihm, die Älteren suchten an heißen Tagen den Schatten seiner Blätter und alle aßen von den Beeren, die er ihnen gab.

The Mulberry Tree

A long, long time ago, in the small village of Schalhumiea in north eastern Syria, there was a large mulberry tree. It stood in the middle of the village. The children always played by the tree, on hot days the elders sought the shade of its leaves, and everyone ate the berries that grew on it.

وكان هناك طفل صغير اسمه داؤود يلعب حول هذه الشجرة يومياً،
ويتسلق أغصانها ويأكل من ثمارها. وبعدها يغفو قليلاً لينام في ظلها ،
كان يحب الشجرة وكانت الشجرة تحب لعبه معها.

مر الزمن ......وكبر هذا الطفل قليلاً ولم يعد يلعب حول هذه الشجرة بعد ذلك!.....

في يوم من الأيام ....رجع إليها وكان هذا الصبي حزيناً فقالت له الشجرة : تعال العب معي ؟
فأجابها الصبي : لم أعد صغيراً لألعب حولك أنا أريد بعض الألعاب وأحتاج بعض النقود لشرائها
فأجابته الشجرة : أنا لا أملك نقود ولكن يمكنك أن تأخذ كل التوت الموجود على أغصاني،
وتبيعه لتحصل على النقود التي تحتاجها.

So war das auch mit dem kleinen Jungen, der Dawud hieß. Er spielte jeden Tag an dem Baum, kletterte auf die Äste, aß die Beeren oder schlief im Schatten des Baumes ein. Er mochte ihn sehr – und der Baum ihn auch.

Die Jahre vergingen und aus dem kleinen Dawud wurde ein junger Mann. Dieser spielte nicht mehr an dem Baum.

Eines Tages kehrte er zu seinem Lieblingsbaum zurück. Aber dieser war sehr traurig. Er sagte zu ihm, dass er doch wieder mit ihm spielen solle. Doch der junge Mann antwortete, dass er nicht mehr klein sei und nicht mehr mit ihm spielen könne. Er würde gerne andere Spiele spielen, habe jedoch kein Geld, um sie zu kaufen. Der Baum entgegnete, dass er auch kein Geld habe, um es ihm zu geben, aber dass er die Maulbeeren pflücken und verkaufen könne. Mit dem Geld könne er sich dann kaufen, was er wolle.

This was also the case with a little boy, called Dawud. He played by the tree every day, climbed up into the branches, ate the berries or fell asleep in the shade. He liked the tree a lot – and the tree liked him too.

The years went by and small Dawud became a young man, who no longer played by the tree.

One day he returned to his favourite tree. It was very sad. It asked him to play with it again. But the young man replied that he was no longer small and could not play with it. He would like to play other games, but had no money to buy them. The tree replied that it had no money to give to him, but that he could pick and sell its mulberries. With the money, he could buy what he wanted.

فرح الصبي كثيراً، فتسلق الشجرة وجمع من ثمار التوت ما يحتاج إليه ونزل من عليها سعيداً .
لم يعد الصبي بعدها
وكانت الشجرة في غاية الحزن لعدم عودته!!!!.
وفي يوم من الأيام رجع هذا الولد للشجرة ولكنه لم يعد ولداً بل أصبح رجلاً.
وملأت السعادة وجه الشجرة لرؤيته مرة أخرى
وقالت له : تعال العب من حولي فإني أنتظرك.
فأجابها: أصبحت رجلاً ومسؤولاً عن عائلة وأحتاج لبيت ليكون مأوى لنا
هل يمكنك مساعدتي ؟
فأجابت : آسفة
فأنا ليس عندي بيت ولكن يمكنك أن تأخذ أغصاني وجذعي لتبني لك بيتاً.
فأخذ الرجل الأغصان وغادر الشجرة وهو سعيداً
وكانت الشجرة سعيدة لسعادته ورؤيته هكذا....ولكنه لم يعد إليها،

Der junge Mann war glücklich und pflückte, was er brauchte – kam danach aber lange Zeit nicht mehr wieder. Und der Baum war erneut traurig.

Nach einigen Jahren kam Dawud doch noch einmal zurück, nun als erwachsener Mann. Der Baum war glücklich ihn zu sehen und sagte ihm, dass er lange auf ihn gewartet habe und nun mit ihm spielen wolle. Dawud entgegnete, dass er nun ein Mann sei und eine Familie habe und für sie ein Haus brauche und dass er daher keine Zeit mehr zum Spielen habe.
Der Baum bedauerte, kein Haus zu haben, um es ihm geben zu können. Aber er bot dem jungen Mann seine Äste an – daraus könne er doch ein Haus bauen. Dawud nahm so viel Holz mit, wie er benötigte und ging glücklich.
Der Baum war ebenfalls glücklich, dass er seinen Freund glücklich machen konnte.

The young man was happy and picked what he needed – but did not return for a long time, making the tree sad again.

After a few years Dawud did come back again, now as a grown man. The tree was happy to see him and told him that it had been waiting a long time for him, and wanted to play with him. Dawud replied that he was now a man and had a family and needed a house for them and therefore had no more time to play.
The tree regretted not having a house to give to him. But it offered the young man its branches – from these he could build a house. Dawud took as much wood as he needed and left as a happy man.
The tree was also pleased that it could make its friend happy.

وأصبحت الشجرة حزينة مرة أخرى .

وفي يوم حار جداً

عاد الرجل مرة أخرى بعد غياب سنين

ولكنه قد كبر في العمر .

فقالت له : آسفة يابني الحبيب لم يعد لدي أي شيء لأعطيك إياه ولا حتى توت

فقال لها : لا عليك لم يعد عندي أسنان لأقضمها بها !!!!

وأصبحت عجوزاً اليوم ولا أستطيع عمل أي شيء،

وكل ما أحتاجه الآن هو مكان لأستريح به فأنا متعب بعد كل هذه السنين .

فأجابته وقالت له: جذور الشجرة العجوز هي أنسب مكان لك للراحة

تعال..... تعال واجلس معي هنا .

Doch dieser kam viele Jahre nicht zurück zu ihm. Und der Maulbeerbaum wurde wieder sehr traurig. Nach langer, langer Zeit kam Dawud an einem heißen Sommertag erneut zurück – er war nun ein alter Mann geworden. Der Baum sagte ihm: „Ich habe leider nichts mehr, was ich dir anbieten könnte!"

Dawud antwortete dem Baum, dass er nicht sauer auf ihn sein soll. Er habe selber keine Zähne mehr, um zu essen und auch nichts anderes mehr zu bieten, da er nun ein alter Mann sei. Was er für sich nur benötige, sei ein Platz, um sich nach der schweren Zeit auszuruhen.

Da antwortete der inzwischen ebenfalls alt gewordene Baum: „Lege dich einfach zu mir. Dies ist der beste Platz, um deine Ruhe zu finden."

But its friend did not come back to it for many years. The mulberry tree became very sad again. After a long, long time Dawud came back on a hot summer's day – he was now an old man. The tree told him: "Unfortunately I have nothing to offer you anymore!"

Dawud replied to the tree, that it should not be angry with him. He himself had no more teeth with which to eat, and also nothing more to offer, because he was an old man now. All he needed was a place to rest after the hard time.

The tree, which was now also old, then answered: "Lie down here by me. This is the best place to find your peace."

الضفدع الحالم..

عبد الرحمن عمرين

يحكى أنه عند بحيرة السنديان كانت تعيش مجموعة من الضفادع المائية بسعادة بالغة، وكان من بينها ضفدع صغير أسمه بق بق، يلقبونه بالغبي البرمائي. فبق بق هذا كان يؤمن بأنه أمير مسحور، وأن الأميرة ستأتي لتقبله ويعود لما كان عليه أميراً وسيماً يحبه سكان مملكته.

كانت كل الضفادع تسخر من بق بق طوال الوقت، وكان لما يغضب منهم يتوعدهم بردم البحيرة والقضاء عليهم جميعاً عندما يعود إلى وضعه السابق ويصبح أميراً بشرياً. مرت الأيام وبق بق ينتظر مجيء الأميرة، لدرجة أن بعض الضفادع اقتنعت بما يقوله بق بق وصارت تلاطفه حتى لا ينفذ وعده بردم البحيرة إن صح ما يقوله.

ذات مرة وبينما كان الضفدع الحالم جالساً على صخرته ينتظر كعادته، حامت فوقه فراشة لم تكن تتنبه لوجوده، وعندما انتبهت خافت واختبأت بين أوراق الشجرة القريبة، ظلت مختبئة تراقب بق بق، وكيف أن الحشرات تمر قربه لكن دون أن يمد لسانه الشرير و يبتلعها.

استغربت الفراشة حال هذا الضفدع، وصار فضولها أكبر من جناحيها بكثير، لدرجة أنها قررت أن تذهب إليه وتسأله عن سبب جموده هذا وانتظاره العجيب!. اقتربت منه بحذر، لكنه لم يحرك ساكناً، اقتربت أكثر وأكثر، وبق بق لا يعيرها أي اهتمام.. وقفت أمامه وألقت التحية.. مرحباً أيها الضفدع الأخضر قالت الفراشة..

كأن شيئاً لم يكن، لم يجب على الإطلاق.. نادته مجددا، ولم يجب، حامت حوله وأخذت تناديه وتناديه، ولم يتجاوب أبداً، وقفت فوقه.. انه ميت قالت في سرها، فجأة قال بق بق، ابتعدي أيتها الفراشة الغبية، وكفي عن إزعاجي قبل أن أبتلعك.. ابتعدت وحطت قربه.. ظننتك ميت قالت الفراشة!

أجابها بق بق: وما شأنك أنت؟ ولكن ميتاً ماذا تريدين مني، ثم ما هذه الوقاحة التي لديك، ألا تعرفين أن الضفادع تأكل الفراشات؟ من حسن حظك أنني لست ضفدعاً.

لست ضفدعاً..!! قالتها بصوت عال وأخذت تضحك بشدة، ماذا أنت إذاً.. أرنب؟ وصارت تتراقص بالهواء وهي تضحك، شعر بق بق بغيظ شديد، وللحظات كان سيقذف لسانه ويجعل صدى ضحكاتها في بطنه، لكنه هدأ من غضبه وأخذ يقول: أنا الأمير المسحور، الأمير لا يأكل الفراشات، أنا الأمير المسحور، الأمير لا يأكل الفراشات، وهكذا حتى هدأ غضبه.

عادت الفراشة واقتربت منه.. ماذا تقول؟ أنت الأمير المسحور! أي أمير مسحور؟. أجابها بق بق: الأمير الذي ينتظر قبلة من الأميرة الجميلة تزول بها لعنة الساحرة الشريرة.

يا له من مغفل قالت الفراشة في سرها وطارت وهي تتمنى أن تجن كل ضفادع البحيرة كما جن بق بق، حتى يتثنى لها ولكل الفراشات والحشرات أن تنعم بالسكينة.

لكن ما لبثت الفراشة أن ابتعدت قليلاً حتى طاردها عصفور جائع، هربت وهربت واختبأت بين الأشواك، أخذ العصفور ينبش بمنقاره بحثاً عنها، وعندما كاد أن يلتقطها صرخت:
انتظر أرجوك لا تأكلني، نظر العصفور إلى الفراشة مندهشاً.. ولماذا لا آكلك؟ أنا لم أفطر حتى الآن قال العصفور..

قالت الفراشة: وماذا أخفف أنا من جوعك؟ أنت تحتاج لضفدع كله لحم، يسد شهيتك عدة أيام.. سال لعاب العصفور وقال: ضفدع.. أوه ما أطيب الضفادع، لم آكل ضفدعاً مذ كنت فرخاً.

قالت الفراشة: ما رأيك إذا بأن تتناول ضفدعاً اليوم؟

كيف قال العصفور؟

39

أجابته الفراشة: إذا تركتني، أدلك على ضفدع تصطاده بسهولة.

بسهولة!! قال العصفور مستغرباً، وأين هذا الضفدع؟

أجابته الفراشة: هناك عند بحيرة السنديان، ضفدع يجلس على صخرة ينتظر الأميرة لتقبله وتحرره من ضفدعيته فيعود أميراً.

ماذا؟؟ قال العصفور وأخذ يضحك.. ينتظر.. ليصبح أميراً!!

أجل أيها العصفور، اذهب إليه وكله قالت الفراشة.

سأذهب قال العصفور ولكن إن كنت تكذبين فسألتقطك يوماً ما وأمزقك، ثم طار باتجاه البحيرة. شعرت الفراشة بالأسى على الضفدع بق بق.. لكن سرعان ما واست نفسها قائلة: ربما يفيق هذا الضفدع من جنونه ويلتهمني من يعلم؟.

وصل العصفور إلى البحيرة، اقترب من الصخرة فوجد الضفدع بق بق، وعندما هم بالانقضاض عليه، أحس بق بق وقفز إلى الماء، وقف العصفور على الصخرة وهو ينادي: سيدي الأمير سيدي الأمير.. اندهش بق بق، أخرج رأسه من الماء وقال للعصفور: كيف عرفت أنني أمير ولست ضفدعاً؟!

قال العصفور: لقد أرسلتني الأميرة كي أعود بك إليها، فهي مريضة ولا تقدر على الحركة.

فرح الضفدع وقفز عائداً إلى الصخرة وقال: خذني إليها أيها العصفور. أمرك يا مولاي أجابه العصفور.

ثم التقطه بساقيه وطار عالياً وهو يقول.. سنمر أولاً على العش، حيث أعرفك هناك على فراخي.

40

Der verträumte Frosch

Das Gerücht ging um, dass nah am See der Eichen eine Gruppe von Fröschen glücklich lebte. Unter ihnen war ein kleiner Frosch namens Bak Bak, der den Spitznamen „dumme Amphibie" trug. Bak Bak glaubte, er sei ein verhexter Prinz und eines Tages würde seine Prinzessin kommen, um ihn mit einem Kuss zurück in einen stattlichen Prinzen zu verwandeln, den das Volk seines Königsreichs liebte.

Alle Frösche lachten über Bak Bak, und wenn er wütend auf sie wurde, dann schwor er, ihnen den See zu zerstören und ihn mit Erde zu füllen, sobald er in seine frühere Gestalt zurückverwandelt war.
Tage vergingen, an denen Bak Bak auf seine Prinzessin wartete, und schließlich begannen auch die anderen Frösche daran zu glauben, was Bak Bak ihnen erzählte. Deshalb behandelten sie ihn nun freundlich, aus Angst davor, er könnte eines Tages wirklich ihren See mit Erde ausfüllen, wenn seine Geschichte wahr werden würde.

Eines Tages saß der kleine Frosch wie gewöhnlich auf seinem Stein und wartete auf die Prinzessin, da schwebte ein Schmetterling über ihm. Als dieser Bak Baks Anwesenheit bemerkte, bekam er es mit der Angst zu tun und versteckte sich hinter den Blättern eines nahen Baumes. Er blieb in seinem Versteck und beobachtete Bak Bak und die vielen Insekten, die vor ihm vorbeihuschten, ohne dass der Frosch seine böse Zunge ausstreckte um sie zu schlucken.

Der Schmetterling wunderte sich über das seltsame Verhalten dieses Frosches. Seine Neugier wurde größer als seine Flügel, bis er sich dazu durchrang, den Frosch nach dem Grund für sein merkwürdiges Warten zu fragen. Er näherte sich dem Frosch vorsichtig, doch dieser bewegte sich nicht. So kam er näher und näher, doch Bak Bak schenkte ihm keine Beachtung. Schließlich stellte er sich vor ihn und grüßte ihn: „Hallo lieber grüner Frosch."

Doch der Frosch reagierte nicht, als sei gar nichts passiert. Der Schmetterling rief ihn erneut, doch er antwortete auch diesmal nicht. Er flog um ihn herum, rief ihn wieder und wieder, der Frosch antwortete nicht. Schließlich setzte er sich auf ihn und sagte zu sich selbst: „Er ist tot".

Plötzlich sagte Bak Bak: „Geh weg, dummer Schmetterling, und hör auf mich zu stören oder ich werde dich schlucken."

Der Schmetterling flog schnell auf und landete dicht neben ihm. „Ich dachte, du seist tot!", sagte er.

Bak Bak antwortete: „Es geht dich nichts an, ob ich tot bin. Was willst du von mir? Wieso bist du so unhöflich? Weißt du denn nicht, dass Frösche Schmetterlinge normalerweise fressen? Was für ein Glück du hast, dass ich kein normaler Frosch bin."

„Du bist kein Frosch?!", rief der Schmetterling laut und begann zu lachen. „Was bist du dann ... ein Hase?" Er wirbelte in der Luft herum, tanzte und lachte. Bak Bak ärgerte das sehr. Für einen Moment überlegte er, seine Zunge auszurollen und den Schmetterling zu verschlucken, um das Echo des Gelächters in seinem Bauch zu begraben.

Doch er besann sich und murmelte: „Ich bin ein verzauberter Prinz und ein Prinz isst keine Schmetterlinge, ich bin ein verzauberter Prinz und ein Prinz isst keine Schmetterlinge", und so weiter, bis er sich völlig beruhigt hatte.

Der Schmetterling näherte sich wieder. „Was sagst du? Du bist ein verzauberter Prinz? Welcher verzauberte Prinz?"

Bak Bak antwortete: „Ich bin der Prinz, der darauf wartet, von einer wunderschönen Prinzessin geküsst zu werden, damit der böse Fluch sich auflöst."

„Was für ein Idiot", sagte der Schmetterling zu sich selbst. Er flog davon und wünschte sich, dass jeder Frosch so verrückt sein würde wie Bak Bak, sodass alle Schmetterlinge und Insekten in Frieden leben könnten.

Doch bald nachdem der Schmetterling davongeflogen war, wurde er von einem hungrigen Vogel gejagt. Er entkam und versteckte sich in den Dornen. Der Vogel schnappte mit seinem Schnabel nach ihm, und kurz bevor er ihn erwischte, rief der Schmetterling: „Warte, bitte iss mich nicht."

Der Vogel guckte ihn überrascht an und antwortete: „Wieso sollte ich dich nicht essen? Ich habe noch nicht gefrühstückt!"

Der Schmetterling erwiderte: „Ich kann deinen Hunger stillen, indem ich dir einen Frosch liefere, der dich für mehrere Tage sattmachen wird."

Das weckte den Appetit des Vogels, und er sagte: „Oh! Wie köstlich Frösche sind! Ich habe keinen Frosch mehr gefressen, seit ich ein Küken war."

Der Schmetterling lockte also: „Wie wäre es, heute einen solchen zu fressen?"

„Wie denn?", fragte der Vogel.

Der Schmetterling antwortete: „Wenn du mich in Ruhe lässt, dann führe ich dich zu einem Frosch, den du leicht jagen kannst."

„Leicht jagen!" rief der Vogel aus. „Wo ist der Frosch?"

Der Schmetterling antwortete: „Dort, am Teich der Eichen lebt ein Frosch, der auf einem Stein sitzt und darauf wartet, dass eine Prinzessin kommt und ihm einen Kuss gibt, der ihn zurückverwandelt in einen Prinzen."

„Was?", lachte der Vogel. „Er wartet darauf, wieder ein Prinz zu werden?"

„Ja, lieber Vogel, geh zu ihm und friss ihn, nicht mich", sagte der Schmetterling.

„Ich werde gehen", sprach der Vogel. „Aber wenn du lügst, werde ich dich eines Tages fangen und in Stücke reißen." Dann flog der Vogel in Richtung des Sees davon.

Dem Schmetterling tat der Frosch Bak Bak leid. Doch er tröstete sich, indem er sich sagte: „Der Frosch könnte jederzeit aus seiner Verrücktheit erwachen und mich verschlucken. Wer weiß das heute schon?"

Der Vogel erreichte also den See und fand Bak Bak, der immer noch auf seinem Stein saß. Als der Vogel nach ihm schnappte, sprang Bak Bak ins Wasser. Der Vogel stand auf dem Stein und rief: „Herr Prinz, Herr Prinz."

Bak Bak war so überrascht darüber, Prinz genannt zu werden, dass er seinen Kopf aus dem Wasser hob. Er fragte den Vogel: „Woher weißt du, dass ich ein Prinz bin und kein Frosch?"

Der Vogel sagte: „Die Prinzessin hat mich geschickt, um dich zu ihr zurückzubringen. Sie ist krank und kann sich nicht bewegen."

Der Frosch freute sich sehr und sprang zurück auf den Stein: „Bring mich zu ihr, oh Vogel."

„Dein Befehl, oh Herr", antwortete der.

Dann packte der Vogel den Frosch mit seinen Beinen, flog in die Höhe und sprach: „Erst halten wir bei meinem Nest, damit du meine Küken kennenlernst."

The Dreamy Frog

A rumour spread around, saying that near the lake of oaks there was a group of water frogs living happily together, one of them being a small frog called Bak Bak who was nicknamed "stupid amphibian". Bak Bak believed that he was a bewitched prince and that his princess would come to him one day and give him a kiss which would change him back into a handsome prince, beloved by everyone in his kingdom.

All the other frogs laughed at Bak Bak , and when he got angry with them he threatened to destroy them by filling in the lake when he returned to his previous state as a human prince.
Days passed by with Bak Bak waiting for the princess, and slowly the frogs began to believe in what Bak Bak was saying. Therefore, they treated him with kindness for fear that he would really fill the lake in one day if what he was saying came to be true.

One day, when the dreamy frog was sitting on his rock waiting for his princess as usual, a butterfly hovered above him, not noticing that he was there. Having become aware of his presence, the butterfly became scared and hid behind the leaves of a nearby tree. She remained hidden, watching Bak Bak and how the in-sects were passing in front of him, without him unfolding his evil tongue to swallow them.

The butterfly wondered what the frog was doing. Her curiosity became larger than her wings, so she decided to go and ask him about the reason for his strange behaviour. She approached him cautiously, but he made no move at all. She drew closer and closer to him, but Bak Bak did not pay any attention to her. She stood in front of him and greeted him. "Hello, dear green frog."

As if he had not noticed her, the frog did not respond at all. The butterfly spoke to him again – he did not respond. She hovered around him calling him over and over again – he still did not respond. She stood above him. "He is dead," she said to herself.

Suddenly, Bak Bak said: "Go away stupid butterfly, and stop disturbing me – otherwise I will swallow you."

She went away and landed nearby. "I thought you were dead!" said the butterfly.

Bak Bak replied: "It is none of your business if I were dead. What do you want from me? Why are you so rude? Do you not know that frogs normally eat butterflies? How lucky you are that I am not a frog."

"You're not a frog?" the butterfly shouted loudly and started to laugh. "What are you then … a rabbit?" She hovered around in the air dancing and laughing. Bak Bak got very irritated. For a moment, he was thinking of unfolding his tongue to swallow her, taking the echo of her laughter into his stomach.

But he quietened down, murmuring: "I am the bewitched prince, the prince does not eat butterflies, I am the bewitched prince, the prince does not eat butterflies", and so on until he was calm.

The butterfly flew close to him once again. "What are you saying? You are the bewitched prince! Which bewitched prince?"

Bak Bak answered: "I am the prince who is waiting to be given a kiss by the beautiful princess so that the curse set by the evil witch can be lifted."

"What a fool," the butterfly said to herself. She flew away, wishing that all the frogs would become crazy like Bak Bak so that all butterflies and insects could live in peace.

But soon after the butterfly flew away, she was chased by a hungry bird. She escaped and hid in the thorn bush. The bird dug in with its beak searching for her, and as he was about to catch her, she screamed: "Wait, please do not eat me."

The bird looked at her in surprise. "Why shouldn't I eat you? I haven´t had breakfast yet."

The butterfly said: "I can curb your hunger by providing you with a frog which would satisfy your appetite for several days."

"Oh, how delicious! I haven´t eaten a frog since I was a chick," replied the bird.

The butterfly said: "How about eating one today?"

"How?" said the bird .

The butterfly answered: "If you spare me, I will lead you to a frog which you can easily catch."

"Easily!" the bird exclaimed. "Where is this frog?"

The butterfly replied: "Over there, at the lake of oaks, is a frog who sits on a rock waiting for a princess to give him a kiss which will free him from being a frog and return him to his former state as a prince."

"What?" the bird said laughingly. "Waiting … to become a prince?"

"Yes, bird – go to him and eat him," the butterfly said.

"I will go," the bird said. "But if you are lying, I will catch you one day and cut you into pieces." Then the bird flew towards the lake.

The butterfly felt sorry for the frog Bak Bak. Yet, she consoled herself by saying: "Maybe the frog could wake up from his madness at any time and eat me. Who knows?"

The bird reached the lake and found Bak Bak still sitting on the rock. As the bird swooped down on him, Bak Bak jumped into the water. The bird stood on the rock and called: "Mr. Prince, Mr. Prince."

Bak Bak was surprised to be called "Mr. Prince" and raised his head out of the water. He said to the bird: "How did you know I am a prince and not a frog?"

The bird said: "The princess has sent me to you to take you back to her; she is ill and unable to move."

The frog was delighted and jumped back up on to the rock saying, "Take me to her, bird."

"Your wish is my command, oh lord," answered the bird.

Then the bird grasped the frog between his legs and flew high up in the air, saying: "First we´ll go to my nest, where you can meet my chicks."

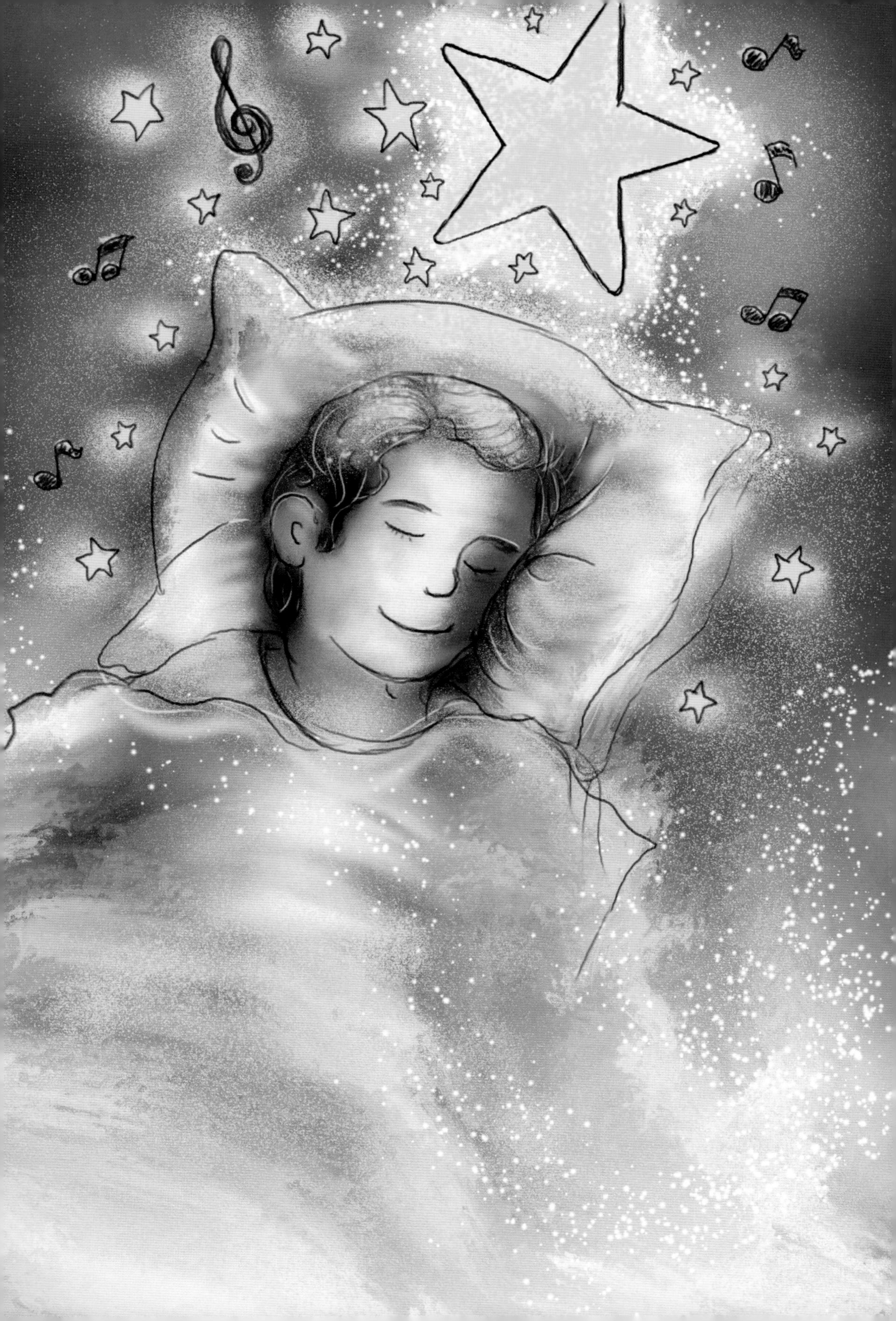

لالوهي كودك

لالو لالو كودك من !
كودك ناز دانه من،
روشني خانه من ،
لالو لالو كودك من !
كودك ناز دانه من،
بخواب بخواب امروز تو !
فردا اين گهواره توست،
لالو لالو كودك من !
كودك ناز دانه من،
تعليم و احترام آموز !
در مقابل زندگي،
تا زندگيت آسان شود،
لالو لالو كودك من !
كودك ناز دانه من،
جوان شوي، جوان شوي !
ستاره آسمان شوي،
از خلق و از تعليم خود نماد شوي،
لالو لالو كودك من !
كودك ناز دانه من،
روشني خانه من ،
تو شمع پروانه من ،
كودك من، هديه من !
كودك من ،بركت من !
راهنماي راهاي من،
ستاره درخشان من،
روشن بكن جهان را !
لالو لالو كودك من !
كودك ناز دانه من،
تو قلب و آرزوي من،
آغاز زمانه من،
لالو لالو كودك من !
كودك ناز دانه من،

Gute-Nacht-Lied aus Afghanistan

Schlaf, mein lieber Sohn, schlaf!
Du Licht meines Lebens!
Du bist das Juwel in meinem Zuhause.
Schlaf, mein lieber Sohn, schlaf!

Heute sing ich dich in den Schlaf.
Morgen wird diese Wiege nicht die deine sein.
Schlaf, mein lieber Sohn, schlaf!

Werde weise und gelehrt.
Sei bereit für die Herausforderungen des Lebens!
Durch Lernen wird die Reise des Lebens leicht.
Schlaf, mein lieber Sohn, schlaf!

Werde erwachsen, scheine heller, mein Stern.
Führe andere und sei ein gutes Vorbild.
Schlaf, mein lieber Sohn, schlaf!

Du Licht meines Lebens!
Du bist das Juwel in meinem Zuhause.
Söhne sind Geschenke, Söhne sind ein Segen.
Zeig mir den Weg, mein leuchtender Stern.
Die Welt braucht dein Licht.
Schlaf, mein lieber Sohn, schlaf!

Meine Hoffnungen liegen auf dir,
mit dir beginnt eine neue Zeit.
Schlaf, mein lieber Sohn, schlaf!

Good night, my darling son

Sleep, my darling son, sleep!
The light of my life!
You are the jewel of my home.
Sleep, my darling son, sleep!

Today I sing you to sleep
Tomorrow this cradle won't be yours.
Sleep, my darling son, sleep!

Become wise and educated.
Be ready for the challenges of life!
Learning makes the journey of life easy.
Sleep, my darling son, sleep!

Grow up, grow brighter my star.
Lead others and set a good example.
Sleep, my darling son, sleep!

The light of my life!
You are the jewel of my home.
Sons are gifts, sons are a blessing.
Lead the way, my shining star.
The world needs your light.
Sleep, my darling son, sleep!

My hopes are pinned on you,
You are the dawn of a new time.
Sleep, my darling son, sleep!

قطة على الهاتف

كان هناك رجل يريد أن يتخلص من قطة زوجته خفيتاً،
فقرر أن يضع هذا الحيوان في السيارة ،
ويقود عشرين منزلا بعيدا عن منزله ويتركه هناك ،
ثم عاد إلى بيته، وبعد عشرة دقائق رأى أن القطة قد عادت أيضا.
حسناً ......ففكر الرجل بأن المسافة كانت قصيرة ،
أخذها مرة أخرى في السيارة وتركها بعد خمسة كيلو مترات هناك،
وعاد ولكن بعد عشرين دقيقة عادت إلى البيت من جديد.
الآن يكفي ....!!ففكر الرجل بأن يأخذ القطة عشرين كيلو مترا ،
في الغابة ، فوق الجسر ،يمين و يسار، وفي منتصف الغابة وتركها وسط الظلام .
وبعد نصف ساعة اتصل الرجل بالمنزل !!
وسأل زوجته: هل عادت القطة الى المنزل ؟
فأجابت زوجته :نعم ولماذا ؟
فأجاب الرجل: أعطني القطة على الهاتف؟؟؟.

Eine Katze am Telefon

Ein Mann will die Katze seiner Frau heimlich loswerden und beschließt, sie auszusetzen. Er nimmt das Tier mit ins Auto, fährt 20 Häuser weit, setzt die Katze aus und fährt heim.

Zehn Minuten später ist die Katze auch wieder da.

„Na gut", denkt sich der Mann, „vielleicht war die Strecke ein wenig zu kurz."

Er setzt sich wieder mit der Katze ins Auto, fährt fünf Kilometer weit und setzt sie erneut aus.

Zwanzig Minuten später ist die Katze wieder zu Hause.

„Jetzt reicht's!", denkt sich der Mann, nimmt die Katze mit ins Auto und fährt 20 Kilometer, dann durch den Wald, über eine Brücke, rechts, links und setzt die Katze dann schließlich mitten im Wald auf einer Lichtung aus.

Eine halbe Stunde später ruft der Mann zu Hause an.

„Ist die Katze da?", fragt er seine Frau.

„Ja, warum?"

„Hol' sie mal ans Telefon …"

A cat on the telephone

A man wants to get rid of his wife's cat secretly and decides to abandon it. He puts the animal in the car and drives 20 blocks further along the road, lets the cat out and drives home.

Ten minutes later the cat is back again.

"OK," the man thinks to himself, "maybe the route was too short."

He gets back in the car with the cat and drives five kilometres and, again, lets the cat out.

Twenty minutes later, the cat is back home.

"Right! That's enough!" the man thinks to himself. He puts the cat into the car and drives twenty kilometres, through a forest, over a bridge, right, then left and finally lets the cat out in a clearing in the middle of the forest.

Half an hour later the man rings home.

"Is the cat there?" he asks his wife.

"Yes, why?"

"Get it on the telephone then …"

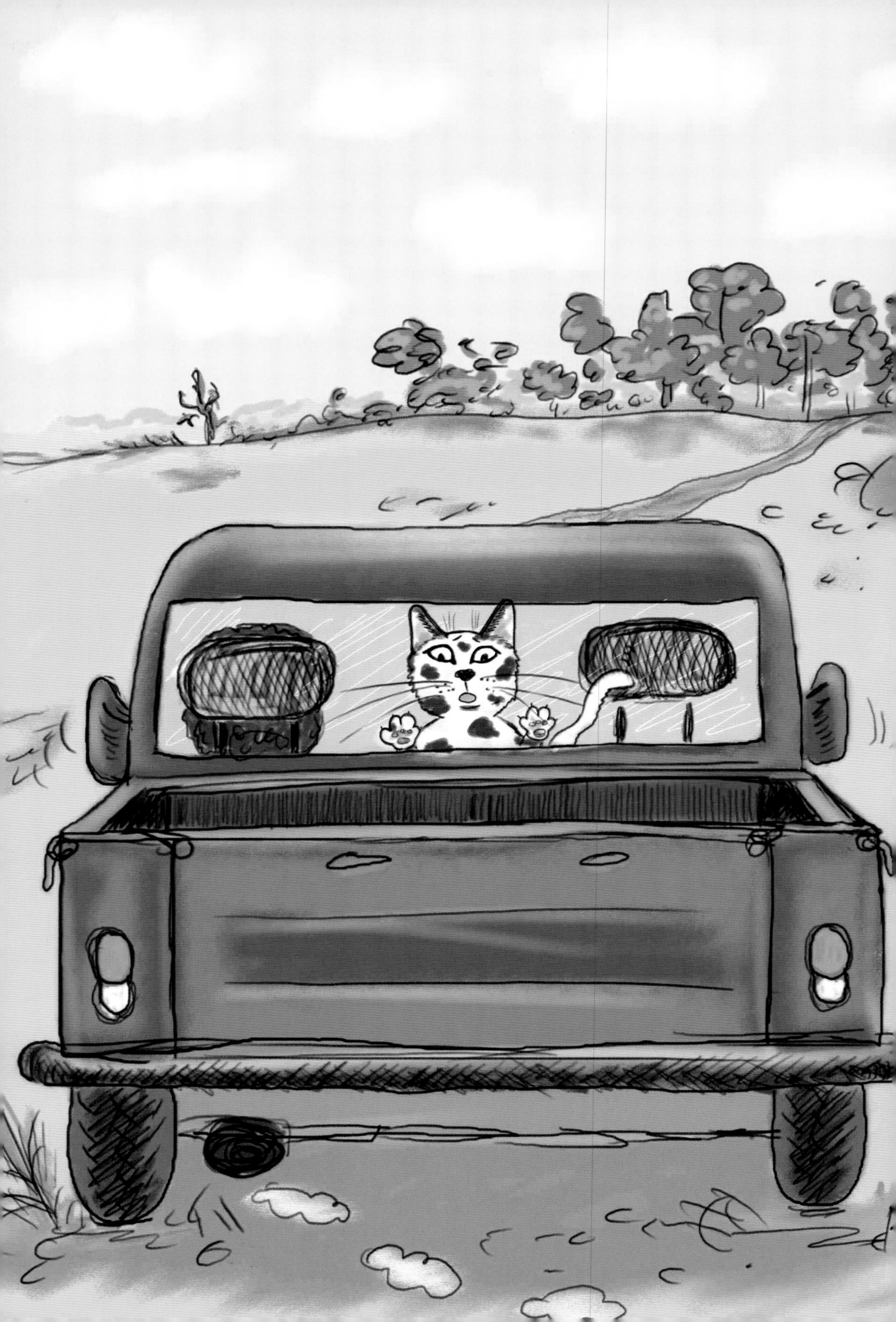

یک پشک در تیلیفون

یک مرد میخواست پشک خانم خود را بخبر از خانه گم کند. تصمیم گرفت پشک را با موتر گرفته ۲۰ خانه دورتر رها کرد و به خانه برگشت.

پشک ۱۰ دقیقه بعد به خانه آمد. مرد با خود فکر کرد که مسافه راه بسیار کوتاه بود. باری دوم پشک را گرفته و بعد از ۵ کیلومتر رها کرد.

پشک بعد از ۲۰ دقیقه دوباره به خانه برگشت.

مرد عصبانی شده گفت "کفایت کرد!" پشک را دوباره همرای موتر گرفته در بین جنگل از یک سری پل گذشته راست و چپ را نگاه کرده و در بین دشت رها کرد.

نیم ساعت بد مرد به خانه تیلیفون میکند.

پشک در خانه است؟, از خانمی خود سوال میکند.

"بلی! چرا؟"

"تیلیفون را برایش بده..."

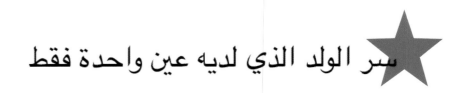

سر الولد الذي لديه عين واحدة فقط

في قرية صغيرة في العراق جاء صبي إلى العالم. كان سليماً ولكن لديه عين واحدة فقط. وتربى هذا الصبي عند والدته وكبر وكان شجاعاً. جاء الوقت لتحقيق رغبته في الزواج. وجد فتاة جميلة،

وأعجبته وأحبته وقررا الإثنين الزواج.

Das Geheimnis des Jungen, der nur ein Auge hatte

In einem kleinen Dorf im Irak kam ein Junge auf die Welt. Er war gesund, hatte aber nur ein Auge. Der Junge wuchs bei seiner Mutter auf und wurde groß und stark. Und es kam die Zeit, da hatte er den Wunsch zu heiraten. Er fand auch ein schönes Mädchen, das ihm gefiel und das sich in ihn verliebte. Beide beschlossen zu heiraten.

The secret of the boy with one eye

In a small village in Iraq a little boy was born. He was healthy, but he only had one eye. The boy grew up with his mother and became big and strong. And the time came, that he wanted to marry. He met a pretty girl who he liked and who fell in love with him. They decided to marry.

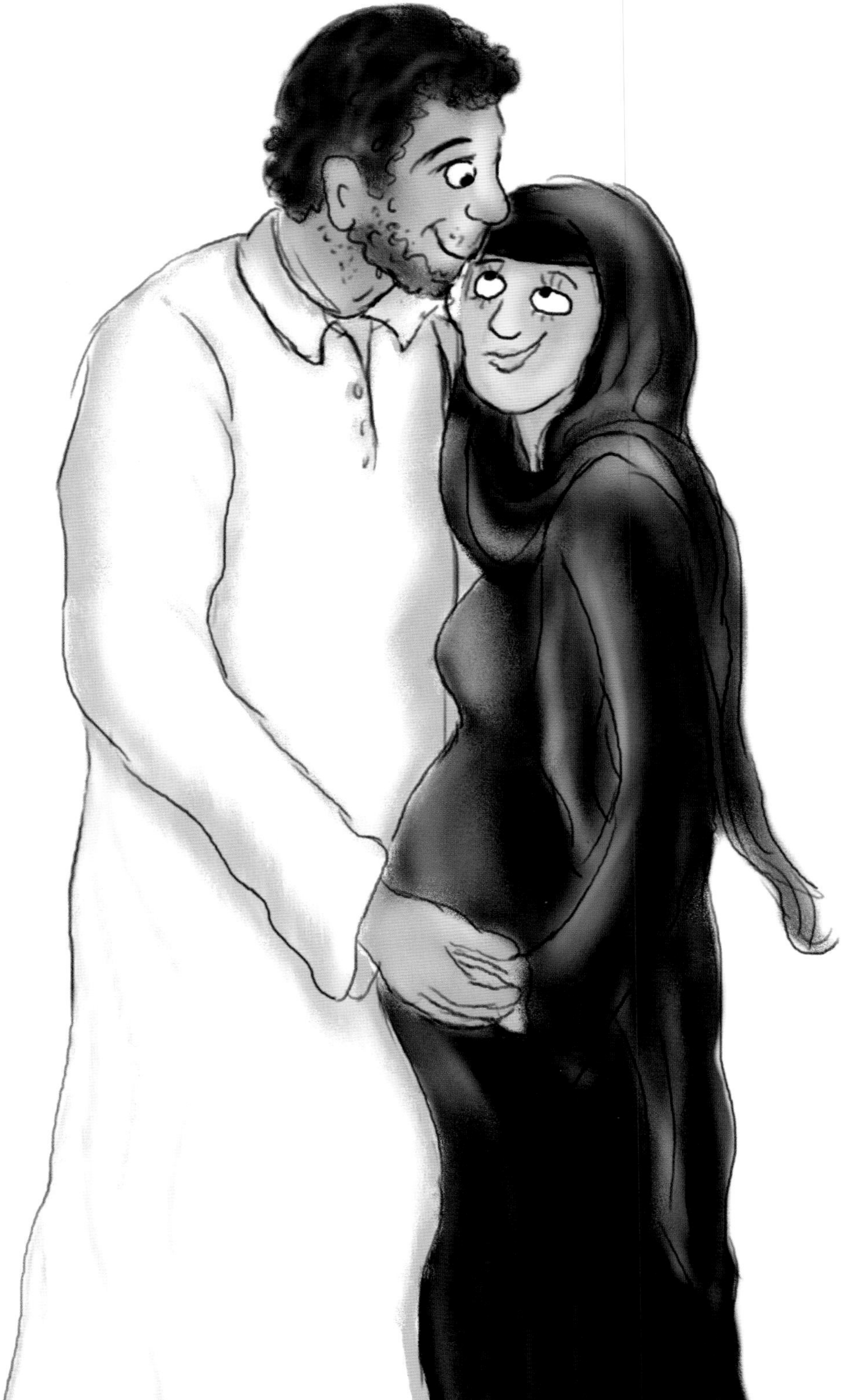

لكن والدة الفتاة كانت ضدهما.

ولم يعجبها الشاب لأن لديه عين واحدة .

رغم ذلك تزوجا الإثنين . والدة الفتاة لم تحضر العرس،

وعطت وعداً بأن لا تتكلم مع أبنتها وزوجها أية كلمة.

والعروسين تزوجا في مدينة أخرى،

وكانا سعداء. ومع ولدة الشاب لم يكن أي تواصل أيضاً.

بعد ثلاثة سنين رزقا بطفل صغير . وكانت عائلة صغيرة وسعيدة .....

وبعد خمس سنوات ظهرت فجأة إمرأة لا يعرفها الطفل ،

وقفت بجانب سياج الحديقة ولوحت بيدها له،

كانت والدة الشاب ، حملته على ذراعيها وقالت له: أنا أكون جدتك

وأتمنى من كل قلبي أن تبقى معي ، ولكن هذا لايجوز لأن لديك عائلتك.

مع ذلك فأنا أحبك كثيراً،

Aber die Mutter des Mädchens war dagegen. Ihr gefiel der junge Mann nicht, weil er nur ein Auge hatte.

Trotzdem heirateten die beiden. Die Mutter des Mädchens kam nicht zur Hochzeit und sprach fortan mit ihrer Tochter und deren Mann kein einziges Wort mehr.

Die beiden Jungverheirateten zogen in eine andere Stadt und waren glücklich. Auch zur Mutter des einäugigen Ehemanns hatten sie keinen Kontakt mehr.

Nach drei Jahren bekamen sie ein Kind. Es war ein Junge. Zu dritt waren sie nun eine glückliche Familie.

Fünf Jahre später tauchte plötzlich eine Frau auf, die der kleine Junge nicht kannte. Sie stand am Gartenzaun und winkte ihm zu. Es war die Mutter des jungen Vaters. Sie nahm das Kind in den Arm und gab sich zu erkennen: „Ich bin deine Oma", sagte sie. „Ich möchte dich am liebsten für immer bei mir haben. Aber das geht ja nicht. Du hast ja hier deine Familie. Aber ich habe dich sehr lieb."

The girl's mother did not approve. She didn't like the boy because he only had one eye.

They married anyway. The girl's mother didn't come to the wedding and from then on didn't speak to her daughter and her husband ever again.

The couple moved to another town and were happy. They had no contact with the mother of the one-eyed husband either.

Three years later they had a baby. It was a boy. The three of them became a happy family.

Five years later, a woman suddenly appeared who the little boy didn't know. She stood at the garden fence and beckoned to him. It was the young father's mother. She took the child into her arms and introduced herself. "I am your grandmother," she said. "I would like to have you near me forever, but I can't. Your family is here, but I love you very much."

وفي لحظة الوداع لأعطته قبلة وعادت إلى المدينة التى كانت تسكن فيها .

والطفل الصغير ظل حزينا ، وبكى ولم يقل لوالديه عما رأه .

مضى شهر واستلم الشاب رسالة من جارة والدته تخبره فيها أن والدته توفيت فجأة .

وعندها حمل نفسه الشاب وذهب إلى المدينة التي تسكن فيها والدته

و زار جارتها ، التي أعطته رسالة من والدته.

بدأ يقرأ الرسالة والدمعة في عينه ،،ولدي العزيز عندما تقرأ هذه الرسالة لن أكون على قيد الحياة

ولكن أريد أن أخبرك بشيء مهم .

ولدت وأنت أعمى وأنا أعطيتك عين من عيناي هدية،

لكي تستطيع رؤية زوجتك وطفلك ،،

لم أكن أريد أخذ هذا السر معي للقبر .وأتمنى لك التوفيق مع عائلتك .

Zum Abschied gab sie ihm noch einen Kuss und ging dann nach Hause in die Stadt, in der sie wohnte. Der kleine Junge blieb traurig zurück und weinte. Aber er erzählte nichts seinen Eltern.

Es verging ein Monat, da bekam der junge Vater einen Brief. Er wurde von der Nachbarin seiner Mutter abgeschickt. Darin erfuhr er, dass seine Mutter ganz plötzlich gestorben war.
Der junge Vater machte sich auf und fuhr in die Stadt, in der seine Mutter lebte. Dort besuchte er die Nachbarin, die ihm einen ganz persönlichen Brief seiner Mutter übergab. Mit Tränen in den Augen las der junge Vater: „Mein lieber Junge, wenn du diesen Brief liest, lebe ich nicht mehr. Aber ich wollte dir noch etwas ganz Wichtiges erzählen. Als du geboren wurdest, warst du blind. Du konntest gar nichts sehen. Ich habe dir eines meiner Augen geschenkt, damit du später einmal deine Frau und dein Kind sehen kannst. Ich wollte dieses Geheimnis nicht mit ins Grab nehmen. Alles Gute für dich und deine Familie wünscht dir deine dich liebende Mutter."

She gave him a kiss and returned to the town where she lived. The little boy was sad and cried, but didn´t tell his parents anything.

A month passed, and the young father received a letter. It was from his mother's neighbour and told him that his mother had died suddenly.
He went to the town where his mother had lived and visited the neighbour. She gave him a letter from his mother. With tears in his eyes the young man read: "My dear son, when you read this letter I will no longer be alive. But I want to tell you something very important. When you were born, you were blind; you couldn't see at all. I gave you one of my eyes so that when you grew up you would be able to see your wife and your child. I didn't want to take this secret with me to the grave. I send you and your family all good wishes. Your loving mother."

عاد الشاب حزيناً جداً إلى بيته وعائلته،
وأعطى زوجته أخر رسالة من أمه ووجه إليها اتهامات بعدم زيارته لأمه طوال هذه الفترة،
والتي كانت تحبه كثيراً.
وجلس الطفل الصغير في حضن والده،
وحكى عن سره الصغير وبأنه قابل جدته
وقالت له: أتمنى أن تبقا معي دائماً.
،، لا تكن بعد الآن حزيناً أبي العزيز ، لأنه ليس لديك فقط أماً عزيزة،
وكان لدي أيضا جدة عزيزة . وقد زارتني حتى،،،

Der Vater fuhr jetzt ganz traurig wieder nach Hause zu seiner Familie und zeigte seiner Frau den letzten Brief seiner Mutter. Er machte sich Vorwürfe, dass er sie nicht einmal besucht hatte, während seine Mutter doch so viel Liebe für ihn übrig hatte.

Da setzte sich der kleine Sohn auf den Schoß seines Vaters und erzählte nun auch sein kleines Geheimnis, dass er nämlich seine Oma getroffen hatte. Und dass sie gesagt hatte, sie wäre am liebsten immer bei ihm.

„Sei nicht mehr traurig, lieber Papa. Denn nicht nur du hattest eine liebe Mama, ich hatte auch eine liebe Oma. Und die hat mich sogar besucht …"

The young father was very sad as he returned home and showed his wife his mother's last letter. He felt so guilty that he had never even visited her, although she had loved him so much.

The little boy climbed onto his father's lap and told him his secret. That he had met his grandmother and that she had said she wished she could be with him.

"Don't be sad, Daddy. Not only did you have a loving mother, I had a wonderful grandmother, and she even visited me …"

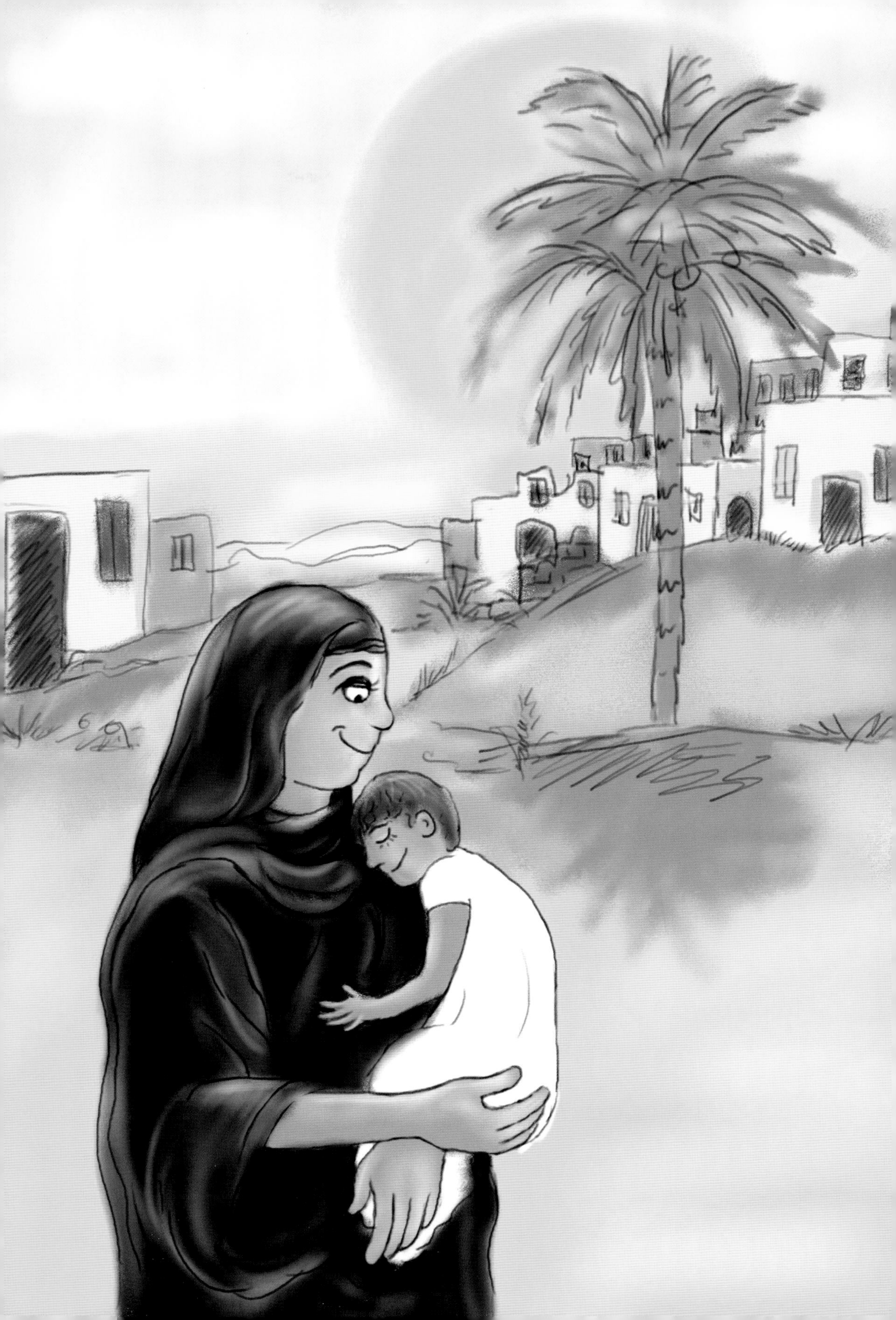

Die Geißlein-Zwillinge Schange und Pange

Eine Ziege hatte Zwillinge bekommen. Sie hießen Schange und Pange. Damit die Ziegenmama genug Milch für ihre Zwillinge hatte, ging sie jeden Tag auf die grüne Wiese und fraß viel Gras.

Eines Tages sprach die Ziegenmama zu ihren Zwillingen: „Schange und Pange, ich gehe wieder auf die Wiese. Ihr dürft auf keinen Fall fremden Leuten die Tür öffnen. Wenn ich zurück bin, werde ich drei Mal sagen: ‚Schange und Pange, eure Mutter ist aus dem Wald zurück, öffnet mir die Tür, ich bin gekommen.‘ An diesen Worten werdet ihr mich erkennen. Das soll unser Geheimnis sein."

The goat twins Shange and Pange

A goat gave birth to twins. They were called Shange and Pange. Every day the mother goat went to the green meadow and ate plenty of grass so that she had enough milk for her twins.

One day, the mother goat said: "Shange and Pange, I'm going to the meadow again. Whatever you do, don't open the door to strangers. When I get back, I will repeat three times: 'Shange and Pange, your mama is back from the woods, open the door, I am home.' You will recognize me when I say that. It will be our secret."

ܩܨ ܡܙܒܝܠܐ ܘܟ݂ܣܣܡܠ ܟܠܠܐ ܣܐ ܘܐ ܐ ܘܘܐ ܐܘܘܐ ܘܬ
ܟܐ ܘܘܐ ܘܘܐ ܩܠܠܐ ܟ݂ܘܘܐ ܐ ܘ ܘ ܟܐ ܩܨܩܐ ܐ ܩܠ
ܐܩܚܐ ܘ ܘܩܠܐ ܐ ܩܘ ܘܒܐ ܐܠܠܠܐ ܟܐܠܐ ܟ݂ܘܠ ܟܐ ܘܩܐ ܐܪܠܐ ܟ݂ܘ
ܟܠܐ ܘ ܟܘ ܟ݂ܘܐ ܐ ܟܠܠܠܐ ܘ ܣܐ ܐ ܡܘܒܐܠ ܟܠܠ ܐ ܩܠܠ ܘ ܟ݂ܘܐ ܟܚܘ
ܘܘܐ ܐ ܘܐ ܘܩܠܐ ܟܣܠܠܐ ܒܐ ܣܠ ܣܘܡܠܐ ܘ ܡܩܠ ܐܪܠ ܐ ܟ݂ܘܐ
ܩܐ ܟ݂ܙܟܐ ܟܘ ܟ݂ܘܩܐ ܟ݂ܘ ܘܩܐ ܘܩܐ ܘܣܠܠ ܘ ܩܩܩܐ ܐ ܟ݂ܘܐ ܟ݂ܘ
ܟܠܐ ܩܩܠ ܪܟܠܐ ܐ ܟ݂ܘ ܐ ܐܪܠ ܟܘ ܟ݂ܘ ܟ݂ܘܠ ܒܒܐ ܡܣܡܟܠܐ ܩܠܠ
ܐ ܨܠ ܠ ܐܟܠ ܟ݂ܘܐ ܟ݂ܩܝܚܒܠ ܐ ܩܩܩܒܠ ܟ݂ܠ ܣܘܩ ܐ
ܟ݂ܘܟ ܟ݂ܘܠ ܟ݂ܒܟ݂ܘܠ ܟ݂ܒܐܟܠ ܐ ܩܝ ܐܪܟܐ ܘܩܠ ܣ ܐ ܟ݂ܘܟ ܐ
ܩܟܠܐ ܐ ܩܩܩܐ ܩܟܠ ܣܠܐ ܐ ܪܗܐ ܟ݂ܟ݂ ܣܐ ܐ ܩܠ ܘܐܩܣܠ ܐ
ܩܠ ܩܝܠ ܐ ܩܩܠܐ ܩܠ ܩܟܐ ܣܘܪܐ ܩܠ ܐ ܐ ܩܩܟ ܣ ܐ ܐܩܘ ܐ
ܩܠ ܐܩܣܩܠܐ ܟܗܠ ܣܠ ܐ ܟ݂ܘ ܐ ܐ ܘ ܩܝ ܐ ܒ ܩܝܐ ܘ ܡܩܐ ܐܩܡܐ

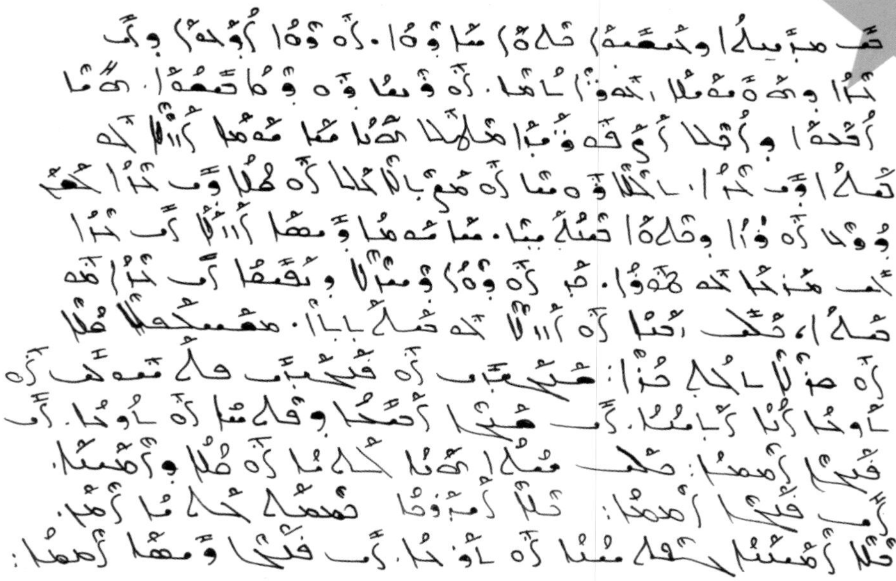

„Gut, Mama, wir haben dich verstanden. Wir werden niemandem die Tür öffnen", versprachen die beiden.

Die Ziegenmama war so vorsichtig, weil in der Stadt ein böser Wolf lebte. Und dieser Wolf wusste, dass die Ziegenmama Zwillinge hatte. Auf Schange und Pange hatte er es abgesehen, er wollte die beiden fressen. So überlegte er unentwegt, wie er an Schange und Pange herankommen könnte.

Und so schlich er eines Tages um das Haus herum, in dem die Ziegenmama mit den Zwillingen wohnte. Hinter einer Hecke hatte er sich versteckt. Und so erfuhr er auch das Geheimnis zwischen der Ziegenmama und den Zwillingen.

Er wartete so lange, bis die Ziegenmama das Haus verlassen und sich auf den Weg in den Wald gemacht hatte. Nach wenigen Minuten ging er an die Tür, klopfte und rief mit veränderter Stimme drei Mal: „Schange und Pange, eure Mutter ist aus dem Wald zurück, öffnet mir die Tür, ich bin gekommen."

Schange wollte die Tür schon aufmachen, aber Pange zögerte noch, hielt sie zurück und sagte: „Das ist nicht die Stimme unserer Mama, öffne nicht die Tür!"

„Doch, das ist unsere Mama", sagte Schange, „ich werde die Tür öffnen!"

68

"Alright, mama, we understand. We won't open the door to anyone," they promised.

The mama goat was so careful because a wicked wolf lived in the town. And that wolf knew that she had twins, who he wanted to eat. So he spent all his time thinking about how to get near them.

One day he was creeping around the house where the mother goat lived with her twins. He hid behind a hedge, and that was how he discovered their secret.

He waited until the mother goat had left the house to go to the woods. A few minutes later he knocked on the door, and, in a false voice, called: "Shange and Pange, your mama is back from the woods, open the door, I am home."

Shange wanted to open the door, but Pange hesitated, saying: "That's not mama's voice, don't open the door!"

"But it is our mama," said Shange, "I will open the door!"

ܛܦ ܡܥ ܒ ܘܟܠܐ ܟܐܠ ܐܒ ܩ ܝܟܐ ܐܢ ܐ ܚܐ ܡܝ ܒܠܐ ܐܢ ܐ ܐܢ ܟܐ.
ܡܐܡܠܐ ܘܥܠܐ ܪܐ ܐܢ ܘܩܠܐ ܚܘ ܐ ܟܗ ܚ ܐܙܐ ܚܟܠܐ ܟܘ ܐ ܐ ܘ ܐ.
ܟܘ ܐܒ ܟܐ ܘ ܝ ܘ ܐ ܟܗ ܚܠܐ ܐ ܝ ܡܣ ܟܐ ܗ ܐ ܘ ܟܐ ܐܢ ܗ ܘ ܐ ܗ ܘ ܐ ܠ :
ܡ ܢ ܩ ܐ ܐܢ ܗ ܩ ܝ ܐ ܒܠܐ ܐܡ ܟ ܘ ܒ ܪ ܚ ܘ ܐ ܐܟܗ ܬܐ ܐ.
ܩܠ ܬ ܐ ܐܢ ܝ ܘ ܟܐ ܐܢ ܐ ܐ ܐ ܒ ܐ ܒ ܐܝ ܐ ܐ ܠ ܗ ܡ ܐ ܠ ܐ ܒ ܟܐ ܟ ܠ ܐ ܘ ܐ ܠ ܡ ܠ ܐ ܐܢ
ܐܘ ܟܐ ܗ ܘ ܐ ܗܘܐ ܗ ܐ ܐܘ ܐܡ ܟܠܐ ܘ ܡ ܐ ܟܗ ܐ ܘ ܟܐ ܐܢ ܗ ܚ ܠ ܐ ܟܠ ܐ ܐܠ ܐ ܠ ܐ ܡ ܘ ܟ ܠ ܐ
ܢ ܡ ܐ ܟ ܗ ܬ ܐ. ܦ ܝ ܣ ܡ ܐ ܐ ܣ ܐ ܡ ܟ ܐ ܒ ܟ ܘ ܐ ܗ ܘ ܐ ܡ ܟ ܠ ܐ ܐܪ ܐ ܟ ܗ ܘ ܐ ܒ ܐ
ܟ ܗ ܟ ܠ ܐ ܒ ܟ ܐ ܟ ܠ ܐ ܡ ܨ ܨ ܟ ܠ ܐ ܐܢ ܐ ܘ ܘ ܐ ܡ ܟ ܟ ܠ ܐ ܐ ܐ ܠ ܐ ܠ ܐ ܚ ܗ ܚ ܐ ܠ ܐ
ܗ ܘ ܘ ܐ. ܟ ܨ ܨ ܟ ܠ ܐ ܟ ܟ ܚ ܘ ܐ ܐ ܘ ܟ ܠ ܐ ܐܢ ܘ ܘ ܐ ܐܢ ܗ ܨ ܦ ܟ ܠ ܐ
ܟ ܚ ܗ ܚ ܟ ܐ : ܘ ܩ ... ܘ ܩ ... ܘ ܩ ... ܘ ܩ ܐܢ ܗ ܘ ܐ ܡ ܐ ܠ ܐܢ ܗ ܗ ܘ ܟ ܠ ܐ : ܩ ܠ ܡ ܟ ܐ
ܐ ܘ ܟ ܐ ܟ ܟ ܟ ܗ ܘ ܐ ܒ ܙ ... ܘ ܨ ܨ ܟ ܠ ܐ ܟ ܗ ܘ ܗ ܟ ܐ ܟ ܗ ܘ ܐ ܟ ܠ ܐ ܩ ܙ ܟ ܐ ؟
ܐ ܘ ܒ ܩ ܟ ܡ ܨ ܩ ܐ ܐ ܘ ܟ ܙ ܟ ܐ ܐܒ ܐܢ ܟ ܐ

„Warte! Öffne nicht die Tür. Glaube mir doch, es ist eine andere Stimme. Es ist ein Fremder", hielt Pange dagegen.

Schange hörte nicht auf Pange und öffnete die Tür. Sofort klemmte sich der Wolf in den Türspalt und drückte die Tür auf. Und er verschlang Schange und Pange auf einmal mit einem einzigen großen Biss.

Als die Ziegenmama nach Hause kam, klopfte sie an die Tür und sagte drei Mal: „Schange und Pange, eure Mama ist aus dem Wald zurück, öffnet mir die Tür, ich bin gekommen."

Nachdem sie drei Mal diesen verabredeten Satz ausgerufen hatte und keiner öffnete, schlug sie die Tür ein. Sie stellte erschrocken fest, dass niemand zu Hause war. Sie war sehr traurig und weinte, weil sie das Schlimmste befürchtete. Sie verdächtigte sofort den Wolf. Schnell eilte sie zum Haus, in dem der Wolf wohnte, stieg auf das Dach und machte großen Lärm.

Von diesen Lärm fühlte sich der Wolf gestört und er rief laut: „Wer ist das, der so viel Lärm über meinem Kopf macht?"

„Komm sofort heraus, du hast meine Zwillinge gefressen, und beide hole ich mir jetzt", schrie die Ziegenmama.

"Wait! Don't open the door. Believe me, it's a different voice. It's a stranger," Pange replied.

Shange didn't listen to Pange and opened the door. The wolf burst into the house and ate both Shange and Pange all at once in one big mouthful.

When the mother goat arrived home, she knocked on the door and repeated three times: "Shange and Pange your mama is back from the woods, open the door, I am home." When she had said the arranged signal three times, and nobody opened, she knocked the door down. Shocked, she realized that nobody was at home. She suspected the wolf straight away.

She went to his house, climbed on to the roof and began to make a lot of noise.

The wolf felt disturbed by the noise and shouted: "Who is that making so much noise on my roof?"

"Come out at once," cried the mother goat, "you have eaten my twins and I have come to get them back."

ܗܐ ܓܠܓܒ ܐܙ ܩܐ ܘܦܐ ܡܘܦܙ ܀
ܐܘܪ ܗܩܐ ܟܝܝܐ ܂ ܐܐ ܘܐܦ ܠܐ ܗܕ ܐܝܠܐ ܟܘܘܩܐ ܡܒܘ ܟܘܠ ܂ ܡܢ ܙܡܟܝܐ
ܐܠܐ ܟܢܪ ܟܢܐ ܗܐ ܡܢ ܟܡܣܟܐ ܂ ܓܟܝܟܟ ܐܙ ܩܐ ܘܐ܊ܒ ܐܙܐ ܣܘܗܡܐ ܩܠܐ ܟܗ
ܟܠܗ ܣܢܐ ܂ ܐܠܐ ܐܒ ܟܘܐ ܠܐܗܠ ܟܝܝܠܐ ܟܗ ܘܐܙ ܐܙ ܗܒܘ ܟܘܢܐ ܀ ܟܠܐ
ܟܗ ܘܟܠܐ ܐܠܦ ܓܟܟܟܟ ܐܓܒܝܟܐ ܐܒܝ ܒܩܦ ܟܘܘܢܐ ܂ ܟܢܡ ܟܐܒܝ
ܐܙ ܘܐܝ ܒܩܦ ܩܕ ܟܡܠܐ ܐܐ ܡܟܟܟܟܦܐ ܘ ܡܟܠܐ ܟܒ ܂ ܐܐ ܘܐܝ
ܟܟܒ ܐܙ ܗܡܘܠܐ ܂ ܟܟܒ ܟܝܐ ܂ ܐܐ ܠ ܐܟܐ ܟܒ ܩܘܝܐ ܐܙ ܐܝ ܟܐܠܐ
ܠܐ ܟܒ ܂ ܗܘܘܓܐ ܟܘܘܐ ܐܢܨܝܐ ܚܪ ܡܟܟܦܟܟܟ ܗ ܒܟܐ ܂
ܟܢܡ ܐܙ ܘܐܝ ܡܟܦܟܠܐ ܟܘܘܢܐ ܡܘ ܟܐ ܗܟ ܩܪ ܠܐ ܐܗܝ ܂ ܐܢܐ ܚܘܘܟܘܢܐ
ܟܡ ܩܠܐ ܂ ܡܟܠܠܐ ܐܒ ܟܘܐ ܩܣܟܘܟܡ ܒܐ ܐܣܡܐ ܂ ܗܘܘܐ ܐ ܗܐ ܐ ܕܘܒ ܂

„Wovon redest du? Ich habe deine kleinen Zicklein nicht gefressen", antwortete der Wolf.

„Doch, ich weiß es, du hast sie verschluckt", erwiderte die Ziegenmama. Sie forderte den Wolf zum Kampf heraus. Sie wollte unbedingt ihre Zwillinge wieder zurückhaben.

Der Wolf stellte sich selbstbewusst dem Kampf. Er war sich sicher, dass er mit seinen großen Zähnen auch die Ziegenmama fressen könnte.

Als er vor ihr stand, sagte er lächelnd: „Warte ab, Ziege. So geht das nicht. Du hast Hörner und ich nicht. Ich mache mir auch welche."

Aus herumliegenden Federn formte sich der Wolf Hörner. Als er sie aufgesetzt hatte, rannte er sofort auf die Ziege zu und rammte ihr den Kopf in den Bauch. Doch die Hörner fielen ab und die Ziegenmama blieb unverletzt.

"What are you talking about?" answered the wolf. "I haven't eaten your little baby goats."

"Oh yes, I know you have," replied the mama goat, and challenged the wolf to a fight. She wanted her twins back.

The wolf fought back confidently. He was sure that with his sharp teeth he could eat the mother goat as well.

As he stood in front of her, he smiled and said: "Wait, goat, this isn't fair. You've got horns and I haven't. I'll make myself some."

The wolf made a pair of horns from some feathers which were lying around. When he had put them on his head, he ran towards the mother goat and butted her in the stomach. But the horns fell off and the goat remained uninjured.

ܗܘܿܝܐ ܗܵܐ ܕܹܝܼ݁ܒ.

ܗܸܫܵܐ ܟܘܿܬܵܐ ܟܹܐ݁ܐ ܘܵܒ ܚܵܐ. ܡܸܒܘܿܝ ܘܚܕ ܗܹܢܵܐ ܐܵ ܟܘܿ ܢܒܘܿܐ ܗܹܐ
ܦܢܵܐ ܢܵܦܫܟ ܟܸܒܦܵܐ. ܐܸ ܚܵܐ ܐܹܡܨܵܐ: ܐܵ ܚܵܐܘ ܘܵ ܘܿܝܵܐ.
ܐܸܐܵ ܚܘ ܡܣܸܢܵܐ ܟܘܿܬܵܐܒ ܟܹܗܘܿܒ. ܗܸܫܵܐ ܟܘܿܬܵܐܐ ܐܸ ܗܹܝܵܐ
ܗܿܐ ܐܸ ܗܝܵܐ ܗܵܐ ܚܘܿܐ ܘ ܘܿܗܵܐ. ܟܸܪܘ ܡܣܸܪܟܠܵܐ ܐܸ ܐܵ݁ܗܵܐܒ݁ܵܐ.
ܛܘ ܡܸܫܵܐ ܐܸ ܘܐ ܗ ܡܗܵܐ ܚܝܸܚܵܐ. ܐܸܐ ܚܵܐܐ. ܚܸܡܫܵܠܵܐ ܗ ܡ
ܗܵܘܘܐ ܐܸ ܗ ܩܸ ܡܣܵܐ ܗܵܝ ܘ ܗܵ݁ܗܵܐ ܠܵܐ ܒ݁ ܩܛܘܿ ܒܵܐ. ܗܸ
ܢܨܵܐ ܐܸ ܗܝܵܐ ܗ ܕܵܐ ܗܸܣܵܐ ܐܸ ܐܿ ܗܵܐ ܗܸܡܵܐ ܢܵ ܗܿ ܘܿ ܐ
ܐܸ ܗ ܗܸ ܡ ܠ ܗܿ ܚܠܵܐ ܐܸ ܗܵ ܫ݁ܠܵܐ.

Nun nahm die Ziege Anlauf, rannte auf den Wolf zu und spießte ihn mit ihren Hörnern auf. Dabei schlitzte sie dem Wolf den Bauch auf. Sie war froh, als sie sah, wie Schange und Pange unverletzt aus dem Wolfsbauch heraushüpften. Sie war sehr glücklich, ihre Zwillinge wieder bei sich zu haben und drückte beide ganz fest an sich. Schange und Pange versprachen, Fremden nie wieder die Tür zu öffnen.

Then the goat charged at the wolf and pierced him with her horns, slitting open his stomach. She was overjoyed to see Shange and Pange hop out uninjured from the wolf's stomach. She was very happy to have her twins back and gave them a big cuddle. Shange and Pange promised never to open the door to strangers again.

Die Großmutter und der Fuchs

Vor langer Zeit lebte eine alte Dame in einem kleinen Dorf am Gebirgszug Tur Abdin. Sie teilte sich ein kleines Häuschen mit ihrem Fuchs und ihrer Katze. Wegen ihrer Freundlichkeit und Güte nannte man sie im Dorf nur „Großmutter".

An einem Sonntag machte sie sich fertig und wollte zur Kirche gehen. Sie sprach zu ihren Tieren: „Hört gut zu, Fuchs und Katze! Ich stelle die Milch auf den Steinofen, damit sie warm wird. Wenn ich von der Kirche zurückkomme, können wir zusammen frühstücken, es ist genug da für uns alle. Ihr dürft die Milch aber bis dahin nicht trinken! Habt ihr mich verstanden?"
„Ja, natürlich! Wir werden die Milch nicht trinken und auf dich warten", antworteten die Tiere.

Grandma and the Fox

Once upon a time, an old lady lived in a small village in the Tur Abdin mountains. She shared her little hut with her fox and her cat. As she was so kind and loving, the whole village called her "granny".

One Sunday morning she was getting ready to go to church. She said to her animals, "Listen closely, fox and cat. I will put the milk on the stove so that it becomes hot. When I am back from church, we can have breakfast together; there is enough for all of us. But until then, you are not allowed to drink the milk. Do you understand?"
"Yes of course! We will not touch the milk and wait for you," the animals answered.

Kaum war die Großmutter eine Stunde weg, da überkam den Fuchs der Hunger. Er vergaß sein Versprechen und trank die Milch.

Nach der Messe kam die Großmutter nach Hause. Sie wollte das Frühstück vorbereiten und ging zum Steinofen. Sie schaute sich um, blickte auf den Steinofen, fand aber die Milch nicht. Da wurde sie sauer und rief den Fuchs und die Katze zu sich. Sie stellte beide zur Rede: „Fuchs, wo ist die Milch? Habe ich dir nicht gesagt, du sollst sie nicht trinken?"
„Ich weiß es nicht, Großmutter! Ich habe sie nicht getrunken, ich sterbe vor Hunger, weil ich auf dich gewartet habe. Aber frag die Katze, ich glaube, sie hat die Milch getrunken."

Die Großmutter fragte die Katze: „Hast du die Milch getrunken?"
„Nein, ich habe sie nicht getrunken! Aber vielleicht weiß der Mahlstein das?"

78

An hour after grandma had left the house, the fox became hungry, forgot his promise, and drank the milk.

Grandma came home after the mass. She wanted to prepare breakfast so she went to the stove. She looked here and there, and searched everywhere but could not find the milk. She became angry and called on the fox and the cat. She asked the fox, "Fox, where is the milk? Didn't I forbid you to drink it?"
"I don't know, grandma! I didn't drink it, I'm already starving because I waited for you. But go and ask the cat, I think she drank the milk."

So grandma asked the cat, "Did you drink the milk?"
"No, I didn't drink the milk! Maybe the grinding stone knows?"

Die Großmutter fragte weiter: „Mahlstein, weißt du wer die Milch getrunken hat?"

„Ja, ich habe gesehen, dass der Fuchs sie getrunken hat."

„Na warte, Fuchs, du hast mich angelogen, dir will ich es zeigen! Das wird dir noch leidtun", sagte sich die Großmutter und überlegte, wie sie den Fuchs bestrafen könnte. Sie wusste, dass der Fuchs gern badet. Sie rief ihn zu sich und sprach: „Komm, Fuchs! Komm zu mir, es tut mir leid, ich habe dich heute fast verhungern lassen, ich will es wieder gutmachen und will dich baden."

Sie badete ihn eine Weile, schrubbte seinen Körper ab, was dem Fuchs sehr gefiel. Er entspannte sich im Wasser und viel Schaum kam auf seinen Körper. Da nutze die Großmutter den Augenblick und schnitt ihm den Schwanz ab. Das tat dem Fuchs so weh, dass er laut aufschrie: „AUTSCH! Großmutter, Großmutter, was hast du gemacht? Gib mir meinen Schwanz zurück!"

And grandma asked the grinding stone, "Grinding stone, do you know who drank the milk?"
"Yes, I saw the fox drink it."

"Oh fox, I will teach you a lesson! You will be sorry," Grandma said, and thought of a punishment for the fox. She knew that he liked to take baths. She called him and said, "Come, fox! Come here, I'm sorry that I almost let you starve today. I will make up for it and bathe you."
She bathed him for a while and scrubbed his whole body, which the fox really enjoyed. He relaxed in the foamy water. Grandma took advantage of the moment and she cut off his tail. This hurt the fox so badly that he cried loudly, "Ouch! Grandma, grandma, what did you do? Give me my tail back!"

Die Großmutter blieb ganz ruhig: „Du hast die Milch getrunken und du hast mich belogen. Geh und hole mir Milch, dann werde ich dir deinen Schwanz wieder zurückgeben!"

Der Fuchs wurde sauer und ging hinaus zu den anderen Füchsen. Als sie ihn ohne Schwanz sahen, lachten sie ihn aus und fragten: „Was ist mit dir passiert? Wo ist dein Schwanz, Fuchs?"

Der Fuchs aber machte sich Gedanken, woher er Milch bekommen könnte. Nach langer Überlegung fiel ihm schließlich ein, dass die Kuh ihm Milch geben könnte. So ging der Fuchs zur Kuh und erzählte ihr von seiner Situation und bat sie: „Kuh, gib mir bitte Milch. Die Milch gebe ich der Großmutter und die Großmutter gibt mir meinen Schwanz zurück."
Die Kuh jedoch antwortete ihm: „Die Milch sollst du kriegen. Ich habe jedoch heute noch nichts zu fressen bekommen, somit habe ich auch noch keine Milch. Wenn du mir aber Blätter zum Kauen bringst, werde ich dir die gewünschte Milch geben können."

So ging der Fuchs zu einem großen Baum und sprach: „Baum, gib mir bitte Blätter. Die Blätter gebe ich der Kuh, die Kuh gibt mir Milch, die Milch gebe ich Großmutter und die Großmutter gibt mir meinen Schwanz wieder zurück."
„Ich will dir Blätter geben, wenn du mir eine Axt bringst", forderte der Baum.

Der Fuchs ging zum Schmied und sagte zu ihm: „Schmied, gib mir bitte eine Axt. Die Axt gebe ich dem Baum, der Baum gibt mir Blätter, die Blätter gebe ich der Kuh, die Kuh gibt mir Milch, die Milch gebe ich der Großmutter, die Großmutter gibt mir dann meinen Schwanz zurück."
Der Schmied sagte: „Ich will dir eine Axt geben, wenn du mir Eier bringst."

But grandma remained calm, "You drank the milk and you lied to me. If you fetch me some milk then you will get your tail back."

The fox became angry and went outside to the other foxes. When they saw him without his tail they laughed at him and asked, "What happened to you? Where is your tail?"

The fox, though, was thinking about how he could get the milk. After thinking for a long time, he realized that he could get the milk from the cow. So the fox went to the cow, told her his story and asked her, "Cow, please give me some milk. I will give the milk to grandma and she will give me my tail back."
The cow answered, "You can have the milk. But I didn't have any food today, therefore I don't have any milk. But if you fetch me some leaves then I will give you milk."

The fox went to the big tree and said, "Tree, please give me some leaves. I will give the leaves to the cow, the cow will give me milk, the milk I will give to grandma, and she will give me my tail back."
"I will give you the leaves if you bring me an axe," the tree said.

The fox went to the blacksmith and said, "Blacksmith, please give me an axe. I will give the axe to the tree, the tree will give me leaves, the leaves I will give to the cow, the cow will give me milk, the milk I will give to grandma, and she will give me back my tail."
The blacksmith said, "I will give you an axe if you get me some eggs."

So ging der Fuchs zu den Hühnern: „Hallo, ihr Hühner, gebt mir bitte Eier. Die Eier gebe ich dem Schmied, der Schmied wird mir seine Axt geben, die Axt gebe ich dem Baum, der Baum gibt mir Blätter, die Blätter gebe ich der Kuh, die Kuh gibt mir Milch, die Milch gebe ich der Großmutter, die Großmutter gibt mir meinen Schwanz zurück."

„Das ist kein Problem. Bring uns aber vorher Weizen zum Fressen", gackerten die Hühner.

Der Fuchs ging zum Bauern und sprach: „Bauer, gib mir bitte Weizen! Den Weizen gebe ich den Hühnern, die Hühner geben mir Eier, die Eier gebe ich dem Schmied, der Schmied gibt mir seine Axt, die Axt gebe ich dem Baum, der Baum gibt mir Blätter, die Blätter gebe ich der Kuh, die Kuh gibt mir Milch, die Milch gebe ich der Großmutter und die Großmutter gibt mir meinen Schwanz zurück."

Der Bauer wollte dem Fuchs aber nicht trauen und sagte: „Gehe fort, ich gebe dir keinen Weizen!"

Das machte den Fuchs so wütend, dass er laut ausrief: „Heiliger Dodo, für eine Handvoll Weihrauch bitte ich dich darum, einen Sturm über die Stadt Iwardo hinwegziehen zu lassen. Dieser Sturm möge alle Bauern und Feldarbeiter mitreißen – und mir ein Bündel Weizen hinterlassen."

So zog tatsächlich ein Sturm über Iwardo und fegte alle Bauern und Feldarbeiter weg. Der Sturm ließ ein Bündel Weizen für den Fuchs zurück. Dieses Getreide trug der Fuchs zu den Hühnern, die Hühner gaben ihm die Eier, die Eier gab er dem Schmied, der Schmied gab ihm die Axt, die Axt gab er dem Baum, der Baum gab ihm Blätter, die Blätter gab er der Kuh, die Kuh gab ihm die Milch und die Milch gab er der Großmutter.

Die Großmutter schätze die Mühe des Fuchses und war sehr froh über die Milch. Sie sagte zum Fuchs: „Komm, ich will dich baden."

So badete sie ihn und gab ihm seinen Schwanz zurück, und als Belohnung hängte sie ihm eine Glocke und eine Schleife um seinen Schwanz. Das sah sehr schön aus.

So the fox went to the chicken, "Hello chicken, please give me eggs. I will give the eggs to the blacksmith, the blacksmith will give me the axe, I will give the axe to the tree, the tree will give me leaves, the leaves I will give to the cow, the cow will give me milk, the milk I will give to grandma and she will give me back my tail."
"That is no problem. But fetch us wheat for dinner before," the chicken clucked.

The fox went to the farmer and said, "Farmer, please give me some wheat! I will give the wheat to the chicken, the chicken will give me eggs, I will give the eggs to the blacksmith, the blacksmith will give me the axe, I will give the axe to the tree, the tree will give me leaves, the leaves I will give to the cow, the cow will give me milk, the milk I will give to grandma, and she will give me back my tail."
The farmer, though, did not believe the fox and said, "Go away! I will not give you wheat!"

The fox became angry and shouted, "Holy Dodo, for a handful of frankincense I ask you to send a storm over the village Iwardo. This storm shall take all farmers and field workers with it – and leave a pack of wheat for me."
Then, a real storm came over Iwardo and took all the farmers and field workers away. The storm left a pack of wheat for the fox. The fox took the wheat to the chicken, the chicken gave him eggs, he gave the eggs to the blacksmith, the blacksmith gave him an axe, he gave the axe to the tree, the tree gave him leaves, he gave the leaves to the cow, the cow gave him milk, and he gave the milk to grandma.
Grandma appreciated his hard work and was very happy about the milk. She said to the fox, "Come, fox, I will bathe you."
She bathed him and gave him back his tail. As a reward she put a bell and a bow around his tail. This looked beautiful and the fox was very happy.

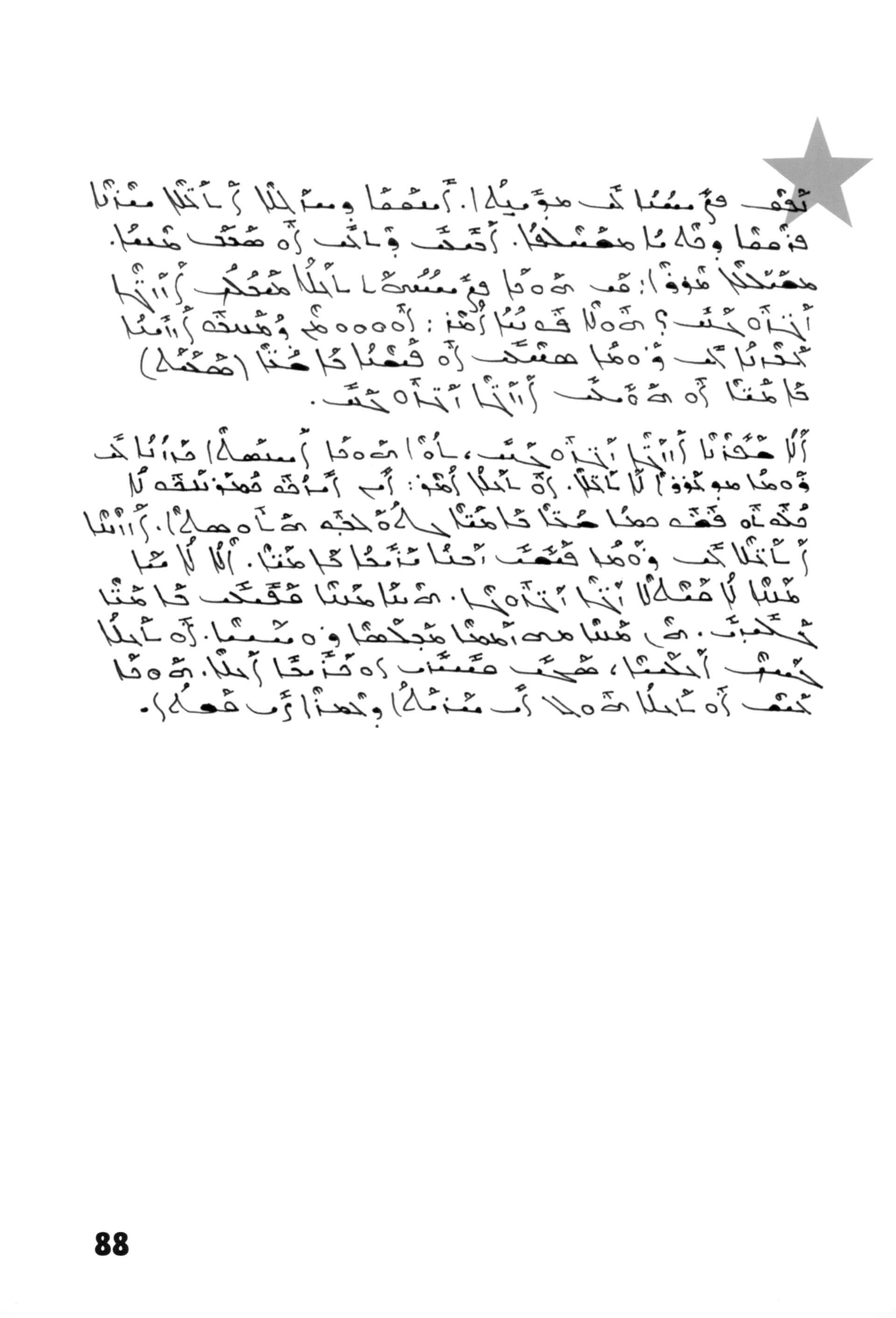

Fröhlich lief der Fuchs durch die Stadt. Dies fiel natürlich den anderen Füchsen auf und sie fragten ihn: „Warum bist du so fröhlich, Fuchs? Woher hast du diese schöne Glocke und die Schleife?"
Er antwortete: „Jaaaaa, was soll ich euch sagen? Ich bin in dem kleinen Teich eine Weile geschwommen und bekam diese Glocke und auch die Schleife."
„Wenn das so ist, dann gehen wir auch in den Teich, damit wir auch eine Glocke und eine Schleife bekommen", sagten die anderen Füchse.
„Geht nur, ihr werdet auch alles bekommen! Geht nur", rief der Fuchs. Die Füchse stiegen in den Teich und blieben lange Zeit im Wasser. Doch keiner von ihnen bekam eine Glocke oder eine Schleife um den Schwanz. Einige von ihnen erfroren sogar im kalten Wasser, andere ergriffen die Flucht. Sie hatten schnell gemerkt, dass der Fuchs sich an ihnen rächen wollte, weil sie ihn ausgelacht hatten, als er ohne Schwanz vor ihnen stand.

Der Fuchs aber versprach der Großmutter, sie nie wieder anzulügen.

Happily, the fox walked around the village. The other foxes saw it and asked, "Why are you so happy, fox? Where did you get the beautiful bell and the bow?"

He answered, "Well, what shall I tell you? I went to the small pond, swam there, and after a while I received this bell and the bow."

"Then we shall swim in the pond, too, so that we can get a bell and a bow," the other foxes said.

"Go and you will get it all! Just go," the fox said. The foxes went into the pond and swam in it for a long time. But none of them received a bell or a bow around their tails. Some of them froze in the cold water and others ran away. They had quickly realized that the fox only wanted revenge because they had laughed at him.

As for the fox, he promised grandma to never lie to her again.

Rarningue kouamba sinpa pam jouille

Solomra gnon, ja sin man Burkina Faso, ya Tinga sin be Afrique de l'ouest pougin. Ramongo Tinga sin be Koudougou ssegin. Béla pougyonga bé, ta youra la Nongema.

Big san rog kirigue bé, a baramba ouatingnan la min. Pouggnan nongra gninssda nin baramba. Bibelga kiema ouana, la rémed ninbiga.

Ouakatningué, baramba ratamin mbangué, youbougo, lab nan poud bigue. Pouggnan nongra mi, joui ouissego.sanan nin mora ouègin. A gnémi joui bam ouissego, sin ratingneti boumninge. Monra gouama, ya gouam sin tin gom Burkina Faso tinssa ouissego.

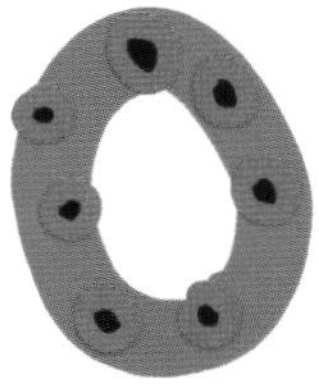

Bigué sans ya tont tré, poug gnonga tin gnélamin toub pouda: Bibèga: Ratin gnelamin (Bitont tré).big sin mi a sin rate. Youkang ya sin sagdé. Baramba san mikémin ti pinda, obnamssamin, Bibèlga tin min, ta pouda: Sounonbigé (big sin tar sounogo).
Ob sangnérata oua jousinga,a tin pouda la Tiraogo (bing sin tar pang oua tiga.

Babaramba pouta joukanga ouissego, ballé obnonga la min. Rarning jessa, sakato ramb ouatamin.n'ouagnan pouggnan n'nongra oubtarabiigé nin bamba, lab kiem pougbedra bamb sin nonga ouan, your la Ainatou. Babaramba sonoua ratin sok poug ganga, joubougo n'nanguissoma ningnin. Là bipougppoaka singnélé. Samin tond sindé Koudogo Kaffé guémbre pongin. Benin mam gnan Videos sin ouinegda michel. A gniinda sonma ,soada sonma, a gnétara ligdi. M'mam jo youra doijilloto.

Babaramba ninpouggnonga nongra fan pami obsan nan lle'tipoumnig llé. Ob pa mi guiguinda joukanga sinjit si ninga gné.

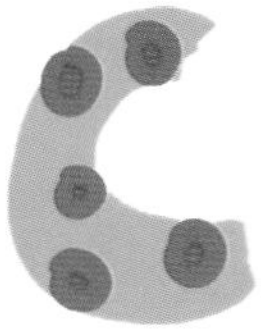

babaramba fan , yela linnba min, pougyang min pa mi asin nan mann boumb ninge lle. Ob sin sonsnin pougjanga n´sa , babaramba lebgamin. . Pouggnon nongra pa tongin roundo n´ nan poud bige jour llé.vinkembeoga Babaramba yelamin toub nan leb gin toun pouggnan ga ningin . Ob mike saka to ninba sin si pougganga roga nonre . Tob soikba gnam mi a nongem sin behibi? Ka Néd kabellé:ob llibe sin sokdé. Ringniinge a Ainatou bambaramba pa tungon non llétiboumlle. Tondmin Raratamin ta bojouré sin sémssde nin tond bigé. Ya llél sin sanmin ned fan sour sama min. A nongam tin bè llè? Sida a siroga nonr oukatfan. Bounboun pama là? Ba souro sanma min a sin patonguinna poudbige youra. Si pougou ouan a, Samande fon llimin msokdin.Boinyinge ti yam soui pa nomin? Nin din killa?

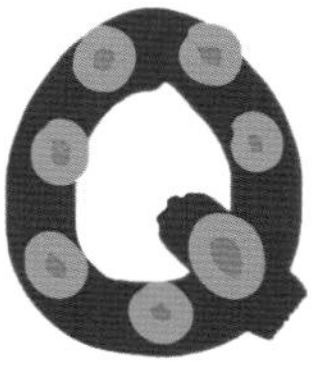

Tond djinsta nogom. jampa gnan kallé?. A Ainatou son sokdé. Ainatou soura pa nomllé balé a kongouré n'ya llillin dá ninbafan son mi. Sida a Samand sin yété. A lli llibeoga nin Taxi. Tond nongma Rika Taxi. Singame Tiboin? Ninba fouan sonssokde, babaramba manda sousanga. Boin yinga ta nongoum, nin youmra llité yémbré? Ya yeltogo. kibara souérikatinga djilli. Ya oua nindin ouarik poug yanga nin mobil jeepi. Ratingéta llissolloko. Kouamba écolon ouan rakanga yépatin gadeb minss son mayé. Babaramba bassa btouma kama ouétaboussin lab tagesda n'onguemyélé. Nin ba fan ya Tagesyenga. Ya kanan nan kon tond kouomba you songo, nin son seminssdé? Tinga nikiemba tagesda min n'nan yantaba, balé ninba fan sour pa nomllé.

Sabre ouakaté, yèl liigri, a nongam si a roga nonré, la djeta ssoré nin sounongo oua ouakatfan. Kouamba soué sségala-min n'ssokoda: Fo rabéyènin? Boin la fo man raradjilli? A yakssa min yétalamin. Tond fan ssoui ra ssanmamin. Ya ouakat kanga, lab fan yalin bangué ta nongom ya pongyanga ninb ouisseg son nongué. M'rabé kodogo, lam, m'ssoksson banga fan a yinge. Assin yelé. Ya yél ninba fan, sin rapa tindé, la nogom paratin gom ouissegyé. A kitam ti kouamba lébguikouli, la ya lin yél yakssa. Mam yamin, m'ratingoussamin.

A vinkimbeoga, a nomgom kinga Ainatou babaramba ningin nin biriblé ninguin. La yéla Ainatou, rinyin gué, fo ra ra tam ti fo kiema youre yi Michel. la Fo mi a vonre?

 Ayo. M'pamiyé. La pa tillè ti yi youkan gallé. Ainatou sakamin la pa foanllé. Manmin ra pa mi ye. A nongom sin yelleLa monssa, m tin yeleflamin, mampa tin poutnind youré mam ssin pa mi a ssin ra tin yeti boumnigeye.

Babaramba monssa llirogapouguin lab kélédin nin goussgou. Michel raya ouin nam tabin souaba goussda, maleka oua mom pèramba ssinyéte´. A tara pang ousségo ni ssoukielem. La sabamin n'yemin tong winga. A vonra lli ninba fan nongo, rinyingué lab yellé, ti bigué youra doi yiMichel. La sin yemin pougdo, a kon biga youra ta Nabiga: Sin ratinyélé: nintyinga sin yissababo timam tongon llisoré.

Pougyannongra pouta nin roundo kouamba lloui tinga pouguin la bamb ssouka Madelène sse nin Benjamin ram bébé. Nint la nint fan sin oua ti ssokod Ramong Kouamba, a nongom youra ssin ratinyélé, oubmi a vonra toto. Ya nind sin ya nin songo, ssoutongssoaba.

solomra yam sin ouma nin mora. Ya Issa nin Daniela yameogo.

Le jour où les enfants n'ont pas reçu de nom

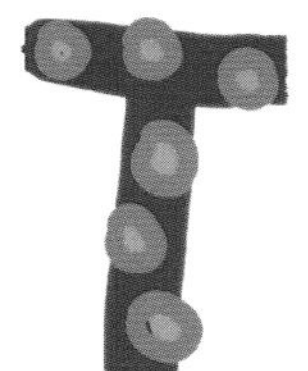

Cette histoire se passe au Burkina Faso, c'est un pays dans l'ouest de l'Afrique.

Dans le village de Ramongo, à côté de Koudougou vit une vieille Dame du nom de Nongema.

Lorsqu'un enfant naît dans les environs, les parents viennent lui rendre visite. L'aimable vieille Dame s'entretient avec les parents, leur demande comment va le bébé et joue avec celui-ci.

Souvent, les parents veulent savoir quel nom irait à leur bébé. Cette aimable vieille Dame connait beaucoup de noms, surtout dans la langue Mòoré. Et elle connait aussi la signification de ces noms. Cette langue Mòoré est très répendue dans plusieurs régions du Bukina Faso.

Si le bébé a beaucoup de tempérament, il est possible qu'elle propose de l'appeler Bibèga – celui qui sait s'imposer. Cela conviendrait bien. Si les parents ont eu des temps durs par le passé, le bébé pourrait, alors d'appeler Sounonbigé – celui qui porte bonheur.

Ou bien s'ils veulent quelque chose de particulier elle choisit le nom Tiraogo – qu'il soit aussi fort qu'un arbre.

Souvent les parents choisissent ce nom parce que celui-ci leur plait.

Un jour, une famille vient chez la vieille Dame aimable. Ils ont leur bébé avec eux et la grande soeur si fière Ainatou. Alors que les parents veulent demander le nom qui plairait à la vieille Dame, la fillette dit: „Nous étions hier dans un café à Koudougou. Et là j'ai vu une vidéo de Michel. Il chante bien, il danse bien et il a beaucoup d'argent. Que mon frère se nomme Michel!"

Les parents sont très étonnés et la vieille Dame reste sans voix. En tous les cas, elle ne connait pas le nom de ce chanteur. Après avoir échangé quelques mots les parents repartent. Aujourd'hui la vieille Dame n'a pas choisi de nom.

Le lendemain les parents décident de repasser chez elle et rencontrent un autre couple devant l'entrée de la maison de la vieille Dame. „Savez-vous où est Nongema? Ici il n'y a personne!" demandent les deux. Les parents d'Ainatou ne savent quoi répondre. „Nous voulions qu'elle choisisse un nom pour notre bébé, quel dommage!" Tout le monde se pose des questions. Où peut être Nongema? Elle est toujours assise devant sa porte. Lui est-il arrivé quelque chose? Peut-être est-elle vexée de ne pas avoir choisi un nom pour leur bébé? Et là surgit le petit effronté Samandé et demande: „Pourquoi êtes-vous tous si tristes? Quelqu'un est mort?" „Nous cherchons Nongema, tu l'as vue?" demande Ainatou. Elle a un peu mauvaise conscience d'avoir proposé le nom d'un chanteur célèbre comme prénom pour son frère.

„Ben oui!" répond Samandé. Elle est partie ce matin en taxi!" Notre Nongema a pris un taxi? Que s'est-il passé? Tout le monde se le demande. Et les parents se font naturellement du souci. „Pourquoi Nongema part-elle à son âge toute seule? C'est pourtant dangereux!"

La nouvelle se répand dans tout le village. Il parait que quelqu'un est venu chercher la vieille Dame avec une superbe Jeep et qu'elle est partie pour un long voyage. Les enfants ne peuvent pas se concentrer, ce jour-là à l'école, et les parents interrompent leur travail dans les champs de mais et pensent à Nongema. Tout le monde pense la même chose: Qui va donner un beau et juste nom à nos enfants? Les anciens du village pensent à organiser une réunion parce que tout le village est inquiet.

Et le soir, grande surprise! Nongema est assise devant sa maison et regarde tranquillement et paisiblement la rue – comme toujours. Les enfants courent vers elle et demandent: „Où étais-tu? Qu'as-tu fait toute la journée?" Les voisins aussi l'interpellent: „Nous nous sommes fait du souci!" Ce n'est que maintenant qu'ils remarquent que Nongema a plusieurs gros livres à ses pieds.

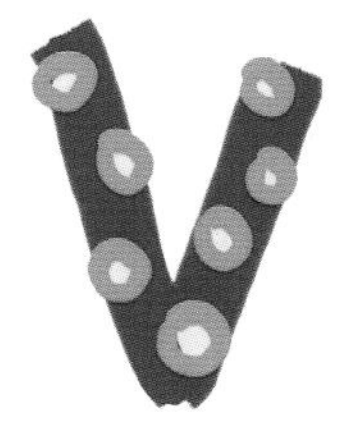

„J'étais à Koudougou et je me suis informée" dit-elle. C'était un peu mystérieux mais Nongema ne veut pas en dire plus. Elle renvoit les enfants chez eux et elle dit seulement aux voisins: „Je suis fatiguée, je voudrais dormir."

Le lendemain Nongema se rend chez les parents d'Ainatou et du petit garçon. Elle dit à Ainatou: „Alors comme ça tu voudrais que ton frère s'appelle Michel. Mais sais-tu ce que cela veut dire?!"

„Non, je ne sais pas. Mais ce n'est pas obligé que ce soit ce nom-là …" répond Ainatou peu sûre d'elle.

„Je ne le savais pas non plus!" rétorque Nongema, „mais maintenant je peux te le dire. Je ne peux quand-même pas donner un nom dont je ne connais pas la signification."

Les parents sont, maintenant, aussi sortis de la maison et écoutent avec attention. „Michel était un des trois grands assistants de Dieu, un ange, comme le disent les Chrétiens. Il est très fort et puissant et il a lutté et gagné contre le mal."

L'explication plait à tout le monde et la décision est prise d'appeler le garçonnet Michel. Et en plus elle lui donne le nom de Nabiga. Cela signifie: celui à cause de qui j'ai fait un voyage.

L'aimable vieille Dame choisit encore aujourd'hui les noms des enfants du village. Et parmi eux il y a quelques Benjamin ou Magdalène. Et si quelqu'un demande aux enfants de Ramongo la signification du nom de la vieille Dame – Nongema – ils le savent tout de suite: quelqu'un de cordial et de bien.

Der Tag, an dem die Kinder keinen Namen bekommen haben

Diese Geschichte spielt in Burkina Faso, das ist ein Land im Westen von Afrika.

In dem Dorf Ramongo in der Nähe von Koudougou lebte eine freundliche alte Frau. Ihr Name war Nongema.

Immer, wenn in der Nachbarschaft ein Baby geboren wurde, kamen die Eltern auch zu ihr zu Besuch. Die freundliche alte Frau redete mit den Eltern, fragte sie, wie es dem Baby ging und spielte mit ihm.

Oft wollten die Eltern dann von ihr wissen, welchen Namen sie für das Baby schön fände. Die freundliche alte Dame kannte sehr viele Namen, besonders in der Sprache Mòoré. Und sie wusste auch immer, was diese Namen bedeuteten. Diese Sprache, Mòoré, wird in vielen Teilen Burkina Fasos gesprochen.

Wenn das Baby besonders viel Temperament hatte, schlug sie vielleicht vor, das Kind Bibèga zu nennen – jemand, der sich immer durchsetzen will. Das würde gut passen.

Hatten die Eltern eine schwere Zeit hinter sich, könnte das Baby Sounonbigé heißen – jemand, der Glück bringt.

Oder wünschten sie für das Baby etwas Besonderes, suchte sie den Namen Tiraogo aus – möge es stark sein wie ein Baum.

Oft übernahmen die Eltern den Namen, weil er ihnen gefiel.

Eines Tages kam wieder eine Familie zu der freundlichen alten Frau, sie hatten ihr Baby und die große stolze Schwester Ainatou dabei. Als die Eltern gerade fragen wollten, welcher Name der alten Frau gefallen würde, sagte das Mädchen: „Wir waren gestern in Koudougou in einem Café. Dort habe ich Videos von Michel gesehen. Der singt gut, kann toll tanzen und hat viel Geld. So soll mein Bruder heißen!"

Die Eltern waren überrascht und auch der freundlichen alten Frau fiel erstmal nichts dazu ein. Den Namen dieses Sängers kannte sie jedenfalls nicht. Nachdem sie noch ein wenig geplaudert hatten, gingen die Eltern wieder. Einen Namen hatte die freundliche alte Frau heute nicht ausgesucht.

Als die Eltern am nächsten Tag noch mal bei ihr vorbeischauen wollten, trafen sie auf ein weiteres Elternpaar, das vor dem Haus der freundlichen alten Frau stand. „Wisst ihr, wo Nongema ist? Hier ist keiner!", fragten sie die beiden. Darauf konnten die Eltern von Ainatou auch keine Antwort geben. „Wir wollen doch, dass sie einen Namen für unser Baby aussucht, wie schade!"

Alle machten sich Gedanken: Wo konnte Nongema sein? Sie saß doch sonst immer vor ihrem Haus. War ihr etwas zugestoßen? War sie vielleicht gekränkt, weil sie für ihr Baby noch keinen Namen aussuchen konnte? Da kam der freche kleine Samandé um die Ecke und rief: „Warum steht ihr so traurig hier herum? Ist jemand gestorben?"

„Wir suchen Nongema, hast du sie vielleicht gesehen?" fragte Ainatou. Sie hatte fast ein schlechtes Gewissen, weil sie gestern den Namen eines berühmten Sängers als Namen für ihren Bruder vorgeschlagen hatte.

„Na klar!", sagt Samandé. „Die ist heute ganz früh mit einem Taxi weggefahren!" Unsere Nongema fährt Taxi? Was ist da bloß los? rätselten nun alle. Und die Eltern machten sich natürlich Sorgen: „Wieso fährt Nongema in ihrem Alter alleine durch die Gegend? Das ist doch gefährlich!"

Es sprach sich schnell im ganzen Dorf herum, dass die freundliche alte Frau von einem schicken Jeep abgeholt worden war und auf eine lange Reise gegangen war. Die Kinder konnten sich an diesem Tag in der Schule kaum konzentrieren und auch die Eltern machten während der Arbeit auf dem Maisfeld immer wieder einmal Pause und dachten an Nongema. Alle dachten das Gleiche: Wer gibt nun unseren Kindern schöne, passende Namen? Die Dorfältesten überlegten sogar, eine Versammlung einzuberufen, da das ganze Dorf so besorgt war.

Abends gab es jedoch eine Überraschung: Da saß Nongema wieder vor ihrem Haus und schaute ruhig und freundlich auf die Straße – wie immer. Die Kinder rannten zu ihr und riefen. „Wo warst du? Was hast du den ganzen Tag gemacht?"

Und auch die Nachbarn sprachen sie an: „Wir haben uns Sorgen gemacht!" Erst jetzt sahen sie, dass Nongema neben sich mehrere dicke Bücher liegen hatte.

„Ich war in Koudougou und habe mich schlaugemacht", sagte sie. Das klang geheimnisvoll, aber mehr wollte ihnen Nongema nicht verraten. Sie schickte die Kinder nach Hause und sagte den Nachbarn nur: „Ich bin müde und möchte jetzt schlafen."

Am nächsten Morgen ging Nongema zu den Eltern von Ainatou und dem kleinen Jungen. Sie sagte zu Ainatou: „So, du möchtest, dass dein Bruder Michel heißt. Weißt du denn, was der Name bedeutet?"

„Nein, weiß ich nicht. Es muss auch nicht unbedingt dieser Name sein ...", antwortete Ainatou unsicher.

„Ich wusste es auch nicht", entgegnete Nongema, „aber nun kann ich es dir ja sagen. Ich kann doch keinen Namen vergeben, ohne die Bedeutung zu kennen."

Auch die Eltern waren nun aus dem Haus gekommen und hörten gespannt zu. „Michel war einer der drei großen Helfer Gottes, ein Engel, wie die Christen sagen. Er ist sehr stark und mächtig und hat in einem Kampf gegen das Böse gesiegt."

Diese Erklärung gefiel allen gut und so wurde beschlossen, dass der kleine Junge Michel heißen soll. Dazu gab sie ihm noch einen zweiten Namen: Nabiga. Das bedeutet: der, wegen dem ich eine Reise gemacht habe.

Die freundliche alte Frau suchte immer noch Namen für alle Kinder des Dorfes aus. Und unter ihnen im gab es nun auch immer wieder mal einen Benjamin oder eine Magdaléna. Und wenn jemand die Kinder in Ramongo fragte, was wohl der Name der freundlichen alten Frau – Nongema – bedeutete, dann wussten es alle sofort: jemand, der ein herzlicher, guter Mensch ist.

The day the children didn't get names

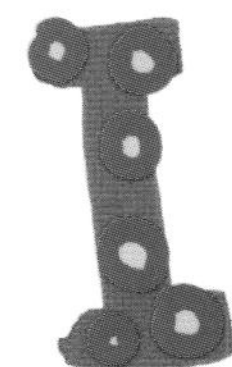

This story takes place in Burkina Faso, which is a country in western Africa.

In the village of Ramongo which is near Koudougou, lived a friendly old lady whose name was Nongema.

When a baby was born in the neighbourhood , the parents would always go and visit her. The friendly old lady talked to the parents and asked them what their baby was like and played with him for a while.

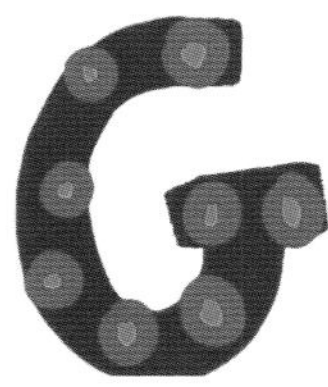

Often the parents wanted to know from her what name she thought would suit their baby. The friendly old lady knew lots of names especially in the language Mòoré. She also always knew what these names meant. The language Mòoré is spoken in many parts of Burkina Faso.

If the baby was particularly temperamental then she might suggest naming him Bibèga – someone that is strong willed. That would fit well.

If the parents had been through a difficult time then the baby could be called Sounonbigé – someone who brings happiness.

Or if the parents wanted something special for the baby then they could pick a name such as Tiraogo – which means growing up strong like a tree.

Often the parents decided to use the name she suggested because they liked it.

One day another family visited the friendly old lady. They had their baby with them and his older sister Ainatou, who was very proud of him, also came along. Just as the parents wanted to ask the old lady which name she would suggest, the girl said: "We were in Koudougou yesterday in a cafe. There I saw a video of Michael. He sings well, is a great dancer and has lots of money. My brother should be named after him!"

The parents were surprised and the friendly old lady didn't know what to say. She didn't know the name of

 the singer. After they had chatted a little, the parents left. That day the friendly old lady did not choose a name.

The next day, on their way to visit her again, the parents met another couple who were standing in front of the house. "Do you know where Nongema is? No-one is at home." They couldn't help Ainatou´s parents . "We wanted her to choose a name for our baby, what a shame!"
Everyone was concerned: Where could she be? She normally sat in front of her house. Had something happened to her? Was she perhaps upset because she couldn't choose a name for the baby? Then naughty little Samandé appeared from around the corner and said: "Why are you all standing around here and looking so sad? Has someone died?"
"We are looking for Nongema, have you seen her?" asked Ainatou. She had a bad conscience because she had suggested a famous singer`s name for her brother.
"Of course," said Samandé, "She left very early this morning in a taxi!" Our Nongema used a taxi? What was going on? Everyone was puzzled. And of course the parents were all worried. "Why is Nongema travelling alone at her age? That is dangerous!"
The news went round the village quickly that the friendly old lady had been picked up in a fancy jeep and had gone on a long journey. The children at school could hardly concentrate and the parents working in the cornfields took breaks to think about Nongema. Everyone was thinking the same: "Who will give us the nice, personally chosen names now?" The village elders were even thinking about convening a meeting because the whole village was so concerned.

In the evening there was a surprise: Nongema was sitting in front of her house again, looking calmly and kindly out at the street – as she usually did. The children ran to her and asked, "Where were you? What have you been doing all day?" The neighbours said "We were worried about you!" Then they saw that Nongema had several thick books lying beside her.

"I was in Koudougou to gather information," she said. It sounded mysterious but they didn't bother her any further. She sent the children home and said to her neighbours: "I am tired and would like to sleep now."

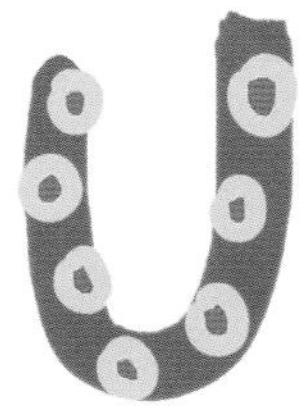

The next morning, Nongema went to the parents of Ainatou and the little baby boy. She said to Ainatou: "So, you would like your brother to be named Michael. Do you know what the name means?"

"No, I don't. It doesn't necessarily have to be that name ..." answered Ainatou uncertainly.

"I didn't know either" replied Nongema, "but now I can tell you. I can't give someone a name before I know what it means."

The parents joined them outside the house and listened carefully. "Michael was one of the three great helpers of God, an angel, as the Christians say. He was very strong and powerful and was victorious in a battle against evil." Everyone liked this explanation and it was decided that the little baby boy should be called Michael. He also received a second name: Nabiga, which means: because of him I took a trip.

The friendly old lady continued to choose the names for all the children in the village. And among them there was always an occasional Benjamin or Magdaléna. And when someone asks the children in Ramongo, what Nongema, the friendly old lady´s name, means they all know; someone who is a good and kind-hearted person.

Autoren, Übersetzer und Illustratoren

„EIN STERN, DER IN DEIN FENSTER SCHAUT"
von Thomas Mac Pfeifer
Zeichnungen: Maria Berg

Übersetzer

Ali El-Haj	(Deutsch–Arabisch)
Catherine Smith	(Deutsch–Englisch)
Cyril Buffet	(Deutsch–Französisch)
Bahishta Zahir	(Deutsch–Paschto)

„DIE FREUNDSCHAFT"
von Suzan Marogi
Zeichnungen: Marva Hanna

Übersetzer

Suzan Marogi	(Arabisch–Deutsch)
Corinna Radke	(Deutsch-Englisch)

„DER MAULBEERBAUM"
von Suzan Marogi
Zeichnungen: Marva Hanna

Übersetzer

Suzan Marogi	(Arabisch–Deutsch)
Ali El-Haj	(Arabisch–Englisch)

„DER VERTRÄUMTE FROSCH"
von Abdol Rahman Omaren
Zeichnungen: Marion Schickert

Übersetzer

Ali M. El-Haj/Sophie König (Arabisch–Deutsch)
Ali El-Haj (Arabisch–Englisch)

„GUTE-NACHT-LIED"
von Faisal aus Afghanistan
Zeichnungen: Marion Schickert

Übersetzer

Faisal aus Afghanistan (Dari–Englisch)
Sandra Lauer (Englisch-Deutsch)

„EINE KATZE AM TELEFON"
von Korgal aus Afghanistan
Zeichnungen: Marion Schickert

Übersetzer

Suzan Marogi (Arabisch–Deutsch)
Catherine Smith (Deutsch-Englisch)
Fahim Afghan (Deutsch-Dari)

„DAS GEHEIMNIS DES JUNGEN,
DER NUR EIN AUGE HATTE"
von Lava, ein 13-jähriges Mädchen aus Slemani
Zeichnungen: Marion Schickert

Übersetzer

Shaza (Arabisch–Deutsch)
Linda Reese (Deutsch-Englisch)

„DIE GEIßLEIN-ZWILLINGE SCHANGE UND PANGE"
von Suzan Marogi
Zeichnungen: Marva Hanna

Übersetzer

Suzan Marogi   (Aramäisch–Deutsch)
Linda Reese   (Deutsch-Englisch)

„DIE GROßMUTTER UND DER FUCHS"
von Suzan Marogi
Zeichnungen: Marva Hanna

Übersetzer

Suzan Marogi   (Aramäisch–Deutsch)
Selim Tóth   (Deutsch-Englisch)

„DER TAG, AN DEM DIE KINDER KEINEN NAMEN BEKOMMEN HABEN"
von Issa Yameogo
Zeichnungen: Marion Schickert

Übersetzer

Malika Müller   (Deutsch-Französisch)
Daniela + Issa Yameogo (Mòoré–Deutsch)
Alexandra Buchanan   (Deutsch-Englisch)

Mit freundlicher Unterstützung von

iB | Internationaler Bund
Freier Träger der Jugend-,
Sozial- und Bildungsarbeit e.V.

Peter-und-Luise-Hager-Stiftung, Saarbrücken
Gruner + Jahr
Bethmann Bank, Berlin
Berliner Freitagsrunde
BBU Verband Berlin-Brandenburgischer Wohnungsunternehmen e.V.
STADT UND LAND Wohnbautengesellschaft, Berlin
degewo, Berlin
Wohnungsgenossenschaft „WEISSENSEE", Berlin
Corinna J. Gliese, ICON – Investment Consulting, Berlin
Stadt Bad Kissingen
Markt Pressig, Bürgermeister Hans Pietz
Maritim ClubHotel, Timmendorfer Strand
Senioreninitiative Bad Kissingen
Exil - Osnabrücker Zentrum für Flüchtlinge e.V.
VW Vossiek, Bad Kissingen
Helga Beck, Nüdlingen
Gertrud Metz, Frauenroth
Kurt Dräger, Niederlauer
Julitta J.-Pfeifer, Bad Kissingen
Mike Jansen, Berlin
Renate Fiedler, Berlin
Heidi Müller, Berlin
Maximilian Pfeifer, Stuttgart
Renate Kiewitz, Berlin
André Raschke, La Cubaba
Viktoria + Axel Romanowicz, Berlin
Ina Steidl, Oberursel
Heidy + Frank Weingärtner (†), Bad Kissingen
KONTRASTE, Katja Kessler, Oberthulba
Villa Spahn/Schreinerei Krug, Bad Kissingen
INFRA Neu, Berlin

Über den Herausgeber

Thomas Mac Pfeifer, geb. am 25. Februar 1944 in Freiburg/Schlesien, arbeitet als freier Journalist in Berlin und Bad Kissingen und schreibt erfolgreich Kinderbücher – inzwischen sind es zehn!
Er „erfand" Winrich, den Erdbeerfrosch und stolzierte mit einem bunten Hund durch die Stadt. Er erklärte, wie ein Glühwürmchen sein Licht anknipst und schrieb daraus ein Theaterstück. Er begleitete die Tierkinder vom Nordpol aus Iglu-Town zum Südpol nach Pingu-City. Seine „kürzeste Weihnachtsgeschichte der Welt" besteht aus zwei Sätzen mit elf Wörtern und drei Jubelrufen von Kindern. Sie wurde übersetzt in 45 Sprachen.
Thomas Mac Pfeifer hat schon auf Kreuzfahrt-Schiffen, in Ferienhotels an der Ostsee, an zwei deutschen Schulen auf Teneriffa und in zahlreichen Kitas und Schulen quer durch Deutschland aus seinen Büchern vorgelesen.
Sein 10. Buch „Ein Stern, der in dein Fenster schaut" ist den Flüchtlingskindern aus Syrien, Afghanistan, Irak, Afrika … gewidmet.

www.macpfeifer.de
info@macpfeifer.de